W9-BNF-150

MAÎTRES ET TÉMOINS

de l'entre-deux-guerres

DU MÊME AUTEUR :

Histoire de l'Empire Byzantin, d'A.A. Vasiliev (traduit du russe et de l'anglais, Paris, Picard, 1932).

Quelques aspects de la vie religieuse en Nouvelle-Angleterre au XVIIe siècle (Bédu, Saint-Amand, 1935).

Les Quakers en Amérique au XVIIe siècle et au début du XVIIIe siècle (2e éd., Librairie des Amis, Paris, 1935).

Le Roman Régionaliste Américain (Paris, Maisonneuve, 1937).

Les Idées Politiques des États-Unis d'aujourd'hui (publié sous le patronage du Comité France-Amérique, Paris, Librairie Orientale et Américaine, 1940).

Les Écrivains français de l'entre-deux-guerres (Montréal, Éditions Bernard Valiquette, Montréal, 2e édition, 1943).

BRIAR CLIFF COLLEGE
SIOUX CITY, IOWA

PIERRE BRODIN

MAÎTRES ET TÉMOINS

de l'entre-deux-guerres

VALIQUETTE
MONTRÉAL

PQ
306
.B76

Copyright 1943 by Éditions Bernard Valiquette, Ltée

10029

AVANT-PROPOS

Ce livre fait suite à notre premier recueil d'essais sur les Ecrivains Français de l'Entre-deux-guerres. *Il offre au lecteur une nouvelle série d'études portant sur cinq maîtres et cinq représentants caractéristiques de la génération de l'entre-deux-guerres. Ces dix écrivains que nous avons choisis présentent des aspects fort divers du génie français : on trouvera dans le premier groupe un poète héroïque, « prophète des temps modernes », un rationaliste impénitent, un doctrinaire de la monarchie, un « citoyen contre les pouvoirs », un délicat apôtre du cosmopolitisme littéraire ; dans le second groupe, un « honnête homme » du XXe siècle, un « voyageur traqué », un grand chrétien irréductible, un poète païen de la Haute-Provence, un frémissant révolté de la génération de 19. Entre Maurras et Alain, entre Morand et Bernanos, que de différences et combien les contrastes semblent l'emporter sur les ressemblances ! Pourtant, quand tout est dit, ces dix écrivains et bien d'autres, parmi les maîtres et témoins de l'entre-deux-guerres, offrent un trait commun : ils ont aimé leur pays, ils ont enrichi le patrimoine littéraire et intellectuel de leur nation, ils se sont montrés dignes de leurs prédécesseurs et de la grande tradition des lettres françaises.*

CHRONOLOGIE DE CHARLES PÉGUY [1]
(1873-1914)

1897 *Jeanne d'Arc* (sous le pseudonyme de Marcel et Pierre Beaudouin) (Librairie de la Revue Socialiste)
De la Cité Socialiste (Revue Socialiste)
1900 *De la Grippe* (Cahiers de la Quinzaine)
1902 *Jean Coste* (Cahiers de la Quinzaine)
1904 *Zangwill* (Cahiers de la Quinzaine)
1905 *Notre Patrie* (Cahiers de la Quinzaine)
1906 *De la Situation faite à l'Histoire* (Cahiers de la Quinzaine)
De la Situation faite au Parti intellectuel dans le Monde moderne (Cahiers de la Quinzaine)
1910 *Le Mystère de la Charité de Jeanne d'Arc* (Cahiers de la Quinzaine)
Notre Jeunesse (Cahiers de la Quinzaine)
Victor Marie Comte Hugo (Cahiers de la Quinzaine)
1911 *Un nouveau Théologien, M. Fernand Laudet* (Cahiers de la Quinzaine)
Le Porche du Mystère de la Deuxième Vertu (Cahiers de la Quinzaine)
Œuvres Choisies, 1900-1919 (Grasset)
1912 *Le Mystère des Saints Innocents* (Cahiers de la Quinzaine)
La Tapisserie de Sainte Geneviève et de Jeanne d'Arc (Cahiers de la Quinzaine)
L'Argent (Cahiers de la Quinzaine)
Eve (Cahiers de la Quinzaine)
1913 *La Tapisserie de Notre-Dame* (Cahiers de la Quinzaine)
1914 *Note sur M. Bergson et la Philosophie bergsonienne* (Cahiers de la Quinzaine)
1916-1934 *Œuvres Complètes* (15 vol., Nouvelle Revue Française)

---

1. Nous n'indiquons ici que les titres des principaux ouvrages de Péguy.

CHARLES PÉGUY

« LA REVOLUTION SERA MORALE OU ELLE NE SERA PAS. »

(Cahiers de la Quinzaine, II, 11)

... « Tous les prosternements du monde
Ne valent pas le bel agenouillement droit d'un homme libre. Toutes les soumissions, tous les accablements du monde
Ne valent pas une belle prière, bien droite agenouillée, de ces hommes libres-là. Toutes les soumissions du monde
Ne valent pas le point d'élancement,
Le bel élancement droit d'une seule invocation
D'un libre amour... »

(Le Mystère des Saints Innocents)

Charles Péguy est né à Orléans le 7 janvier 1873. C'était un fils du peuple, descendant de paysans, de vignerons et d'artisans. Sa grand'mère qui, toute jeune, avait gardé les vaches, n'avait jamais appris à lire ou à écrire. Son père, qui était menuisier, mourut des suites de la campagne de 1870-1871. Sa mère resta veuve dix mois après la naissance de Charles, qui fut son unique enfant. Elle dut travailler d'un métier manuel pour assurer leur existence et se fit rempailleuse. Ce fut une excellente artisane, qui inspira à son fils l'amour de *l'ouvrage bien faite.*

L'enfance de Péguy fut pauvre, mais peuplée de joies intérieures. Il commença de bonne heure à travailler. Très appliqué et fort bien doué, il y trouva un très grand plaisir. Ce fut sa grand'mère, qui aimait conter la belle histoire, qui, « première (lui) enseigna le langage français ». Lorsqu'il eut sept ans, on l'envoya à l'école communale de son quartier. Après le certificat d'études, il passa à l'école primaire supérieure. Six mois plus tard, le directeur de l'Ecole Normale d'instituteurs d'Orléans, M. Naudy, qui l'avait remarqué, obtint pour lui une bourse et le fit entrer au lycée. Le jeune garçon se plaça immédiatement parmi les premiers de sa classe, même dans les sujets qu'il n'avait pas étudiés à l'école communale. Il remporta, pendant toutes ses années de lycée, tous les Prix d'Excellence et presque tous les premiers prix.

Reçu bachelier, il obtint une bourse à Paris, au lycée Lakanal. Il conquit rapidement l'amitié de ses camarades et l'estime de ses maîtres. Il voulait préparer l'Ecole Normale Supérieure et devenir professeur. Mais il échoua au concours d'entrée à l'institution de la rue d'Ulm et décida de revenir à Orléans pour y faire son service militaire.

Ce fut un excellent soldat. La vie militaire lui plut. Il aima la discipline de l'armée, la camaraderie du troupier, l'ordre de la chambrée. Il aima marcher, comme le font les fantassins. Il aima le vocabulaire du soldat et le rythme des chants militaires.

Après son année de caserne et à la suite d'un second échec à l'Ecole Normale, ses maîtres et amis de Lakanal obtinrent pour lui une bourse d'études au Lycée Louis-le-Grand et une bourse de pension au collège Sainte-Barbe. C'est à Sainte-Barbe que les frères Tharaud le virent un jour tomber, dans la cour rose, au milieu du petit groupe des *cagneux*. C'est là que Péguy se lia d'amitié avec le charmant, silencieux et délicat Marcel Beaudouin, avec l'affectueux François Porché, avec le grave Baillet, avec Lotte, le Breton au grand cœur, avec Jérôme et Jean Tharaud qui, respectivement, préparaient Normale et Saint-Cyr.

Péguy était alors « un petit homme robuste, un peu massif, avec des épaules carrées, mais dans le détail tout en finesse. Il avait des yeux noisette, ou plutôt couleur de châtaigne, d'un éclat étonnant, qui regardaient passer les idées et s'arrêtaient sur vous tout à coup avec une autorité surprenante, des lèvres minces, bien dessinées entre de vigoureux maxillaires, le sang près de la peau, des artères qu'on voyait battre, des mains admirablement faites qui vous brisaient les doigts quand il vous serrait la main ». [1] Il était gai, allègre, « d'un comique à fond de bonté. Il disait que tout autre comique n'en était pas ». [2]

1. Tharaud, *Notre Cher Péguy,* I, p. 10.
2. Charles Lucas de Peslouan, cité dans Halévy, *Péguy et les Cahiers de la Quinzaine* (1941), p. 32.

Ce jeune paysan de vingt ans est déjà un socialiste convaincu qui en impose à ses camarades par sa sincérité et par sa force morale. Quand il quêtait pour les grévistes, nous dit un de ses amis, « il n'avait qu'à tendre la main pour qu'aussitôt l'on vidât ses poches ». Très vite, il prend la tête du groupe et l'enflamme de l'ardeur de ses convictions.

A son troisième essai, Péguy est admis à l'Ecole Normale Supérieure (section des Lettres). Il fait alors, dans l'été de 1894, son premier, son unique voyage un peu lointain ; il part pour Orange entendre *Œdipe roi* sur les marches du théâtre antique.

A l'Ecole, il continue une vigoureuse et ardente propagande socialiste. Il s'installe dans la turne « *Utopie* » avec Albert Mathiez, le futur historien de la Révolution, déjà remarquable par sa puissance de travail, par ses magnifiques colères et par ses convictions irréductibles. Les deux autres occupants étaient Albert Lévy et Weulersse, qui n'étaient pas moins convaincus de la nécessité de rénover la société des hommes. C'est dans la turne *Utopie* que se prépara la publication du *Journal Vrai*, qui devait, par la double force de la vérité rigoureuse et de la diffusion fraternelle, transformer la société dans un délai maximum de trente ans...

L'institution de la rue d'Ulm comptait alors, entre autres maîtres, Bergson, Bédier, Andler, Romain Rolland et le bibliothécaire Lucien Herr. Parmi les anciens élèves restés proches de leurs successeurs se trouvait Jaurès, déjà leader politique respecté et déjà ancien député socialiste. Péguy s'attacha surtout à Jaurès, à Rolland et à Bergson. Il connut et aima ce « Jaurès bon marcheur et bon causeur, non pas le Jaurès ruisselant et rouge des meetings enfumés ni le Jaurès, hélas, rouge et devenu lourdement mondain des salons de défense républicaine. » Il communiait avec Jaurès dans le culte des classiques et des grands poètes. Il marchait aux côtés de Jaurès récitant, déclamant. Il souhaita l'aider dans la fondation d'un grand journal socialiste et essaya même de réunir les fonds nécessaires.

Par Rolland, Péguy connut Tolstoï. L'illustre vieillard avait écrit au jeune maître idéaliste :

« Le faux rôle que jouent dans notre société les sciences

et les arts provient de ce que les gens soi-disant civilisés, ayant à leur tête les savants et les artistes, sont une caste privilégiée comme les prêtres. Et cette caste a le défaut de toutes les castes. Elle a le défaut de dégrader et de rabaisser le principe en vertu duquel elle s'organise. Au lieu d'une vraie religion, une fausse. Au lieu d'une vraie science, une fausse. De même pour l'art. Elle a le défaut de peser sur les masses, et par-dessus cela, de les priver de ce qu'on prétend propager. » [1]

Péguy applaudit à ces paroles. Comme Rolland, il décida qu'il se tiendrait à l'écart des castes professionnelles et essaierait d'exprimer avec simplicité « les mouvements essentiels de l'humanité laborieuse ».

Quant à Bergson, il fit sur Péguy, dès l'Ecole, une forte impression. Plus tard, l' « éternel étudiant » qu'était Péguy fréquenta assidûment, chaque vendredi, les cours du philosophe au Collège de France. Les analyses de Bergson, en dissolvant la théorie mécanique de l'esprit et les idées chères à la génération de Taine et Renan, apportaient à la génération nouvelle une philosophie jeune, « un royaume frais et verdoyant, un royaume où une rêverie pouvait vivre tandis que, dans la maison d'en face, c'était le règne du bois mort ». Il n'est pas douteux que la philosophie commença, pour Péguy, avec Bergson. « Ce qu'on ne lui pardonne pas, » écrira-t-il plus tard, « c'est qu'il a rompu nos fers ». Bergson enrichit la pensée de Péguy. Il lui suggéra le thème de l'opposition de l'esprit et de la matière (mystique contre politique, intuition contre érudition pure, énergie française contre matérialisme stérile des *partis*) et aussi, sans doute, l'idée d'une philosophie dynamique et vivante.

Au début de sa seconde année de Normale, Péguy, par un coup de tête subit, demande un congé. Il revient à Orléans, chez sa mère, en décembre 1895, pour écrire un poème dramatique sur Jeanne d'Arc. Le socialiste athée de la turne *Utopie* qui, depuis quelques mois déjà, prenait des notes abondantes sur Jeanne d'Arc dans les chroniques du temps, décide d'aller méditer à Orléans même sur la sainte libéra-

1. *Cahiers de la Quinzaine*, III, 9.

trice de sa ville natale. C'est que Péguy s'est reconnu dans cette héroïne populaire, croyante et guerrière, audacieuse, ingénue et irrespectueuse des pouvoirs établis. Alors que Valéry, vers la même époque, se place sous le signe de Léonard de Vinci, Péguy prend la Pucelle pour modèle idéal. Il en fait une héroïne révolutionnaire et la recrée à son image. Il entreprend, suivant le mot de Barrès, « de reconstruire l'histoire de cette paysanne de génie en réveillant en lui l'âme paysanne de ses ancêtres ». Il essaie de traduire, à travers Jeanne d'Arc, les émotions fortes qu'il ressent lui-même.

Péguy revient avec un énorme manuscrit. Cette première *Jeanne d'Arc,* publiée quelques mois plus tard — aux frais des amis de l'auteur — par la Librairie de la Revue Socialiste, sera invendue, mais qu'importe ? Péguy, jamais, n'écrira pour être « vendu ». Il lui suffit d'avoir lancé ce premier message, d'avoir affirmé cette première méditation sur les épreuves de Jeanne d'Arc et, à travers elle, sur les problèmes du mal, d'avoir composé une œuvre belle et solide dont Andler a pu écrire :

« On aurait dit, à lire cette pièce, quelque chose d'aussi grand et de plus simple que Hebbel, d'aussi émouvant que Gerhard Hauptmann, de plus tendre que Bernard Shaw, le drame révolutionnaire enfin que Romain Rolland cherchait et n'avait pas découvert. »

Après deux ans d'études, Péguy quitte l'Ecole Normale. Il épouse la sœur de Beaudouin, son généreux et pur ami qui vient de mourir. Pendant un an, il poursuivra ses études universitaires à titre d'externe. Mais s'il a quitté l'Ecole, c'est que, déjà, il a renoncé à être professeur de lycée. Le socialisme, le métier d'éditeur, le travail vrai, la vie avec toutes ses charges, l'intéressent bien plus que les cours de la Sorbonne. Il ne lui suffit plus de collaborer à la *Revue Socialiste* et à la *Revue Blanche.* D'autre part, la sœur de Beaudouin, socialiste et révolutionnaire comme son mari, voulait engager sa dot dans une libre entreprise vouée à la Révolution. Péguy reprit, rue Cujas, en plein Quartier Latin, une boutique qu'abandonnait un libraire malchanceux et ouvrit une maison d'édition socialiste.

Bientôt, l'Affaire Dreyfus éclate. Péguy se passionne pour ce grand drame de la conscience humaine. Il écrit et fait écrire par ses amis pour Dreyfus et pour le socialisme. On se bat autour de la boutique de Péguy dans une atmosphère de pureté et d'héroïsme. Péguy est un « Croisé », déchaîné contre le Démon de l'Injustice et du Mensonge.

L'Affaire Dreyfus se termine par la victoire, mais aussi par la décomposition du parti dreyfusiste, par la déception et la défaite de ses mystiques. Péguy, trop désintéressé, trop pur pour *réussir* matériellement, a perdu l'argent de sa femme et le contrôle de sa librairie socialiste. Il est profondément irrité par les politiciens, dreyfusistes et autres, et par le *parti intellectuel* des Jaurès, des Blum et des Herr, qui à ses yeux a failli à sa véritable mission.

En 1900, il se lance dans une nouvelle aventure : il fonde les *Cahiers de la Quinzaine.* Son ambition est de publier tout ce qui intéresse le mouvement et surtout les idées socialistes et d'enseigner la révolution sociale ; de « maintenir la ferveur héroïque, l'ardeur de dévouement, de sacrifice et d'inquiétude au dreyfusisme intégral, au socialisme pur, à la haute culture de l'esprit », de dire la vérité, « toute la vérité, rien que la vérité, dire bêtement la vérité bête, ennuyeusement la vérité ennuyeuse, tristement la vérité triste ».

Les bureaux de la nouvelle revue, après maints avatars, finirent par s'installer au numéro 8 de la rue de la Sorbonne. Péguy dut lutter contre une quantité infinie de difficultés matérielles pour faire vivre les *Cahiers.* Pourtant, les *Cahiers,* lancés sans capital et sans publicité, vécurent. Quinze séries de vingt numéros virent le jour entre 1900 et 1914.

Les *Cahiers,* typographiquement admirables, littérairement fort inégaux, mais presque toujours intéressants et toujours dédiés à la Vérité, eurent une clientèle de quelques centaines d'« amis de la Vérité » ; professeurs, instituteurs, avocats, provinciaux, libre-penseurs — ces derniers choqués souvent et de plus en plus par le mysticisme de Péguy et son retour vers le catholicisme de son enfance. Ils furent l'œuvre essentielle de Péguy, qui y publia presque tous ses écrits et qui consacrait un tiers de son temps à l'établissement commercial et à la gérance de l'entreprise, un tiers à l'établissement industriel, à la correction des épreuves, un tiers, à les écrire. Les *Cahiers* ne ressemblaient à rien de ce qui paraissait alors. Sauf exception, chaque volume était l'œuvre d'un seul auteur, et donnait soit une étude, soit un dossier polémique, soit un recueil de vers, soit un roman. Péguy ajoutait parfois une préface ou un commentaire. Très souvent, il remplissait tout un *Cahier* et le coupait de chroniques, de poèmes ou de morceaux de *Confessions*. Certaines années, il en publiait trois ou quatre, d'aucuns considérables. Les plus importants furent sans doute, à côté du poème du *Mystère de la Charité de Jeanne d'Arc*, les chroniques intitulées *Notre Jeunesse, Notre Patrie, Victor Marie Comte Hugo,* la *Note conjointe sur M. Descartes*, etc.

Les *Cahiers* publièrent trois œuvres importantes de Romain Rolland : *Beethoven, Michel-Ange* et surtout *Jean Christophe,* trois succès de librairie. Ils firent paraître aussi *L'Ordination* de Benda, *Dingley* de Jérôme et Jean Tharaud, *l'Affaire Crainquebille* d'Anatole France, *Marée fraîche* de Pierre Hamp et donnèrent de beaux textes de Jaurès, Daniel Halévy, André Suarès, André Spire et de maints autres membres de l' « équipe » enthousiaste et divergente qui entoura Péguy.

Encore aujourd'hui, les *Cahiers* offrent un ensemble inégalé d'œuvres originales et de documents historiques très appréciables.

Cependant, cinq ans après la fondation de la revue, l'affaire de Tanger produit sur Péguy une profonde émotion. Cette alerte lui paraît le prélude d'une guerre inévitable et l'ouverture d'une période nouvelle dans l'histoire du monde. Or, s' « il ne dépend pas de nous que l'événement se déclenche, il dépend de nous d'y faire face ». A partir de 1905, Péguy se prépare à la guerre. Il en parle dans presque tous les *Cahiers.* Il ne craint pas le conflit, il le souhaite presque : il aime trop son pays, il a l'âme trop noble pour ne pas apprécier l'ouverture d'une grande épopée.

Vers le même temps, la religion de Péguy évolue. Il revient au catéchisme d'Orléans, — sans jamais d'ailleurs rentrer officiellement dans le giron de l'Eglise : il est trop indépendant pour se soumettre à la discipline d'un clergé. Mais quand son fils tombe malade, il part à pied pour Chartres, afin de confier ses enfants à la Vierge Marie :

« ... Il pense encore en frémissant à ce jour-là.
Qu'il avait eu si peur.
Pour eux et pour lui.
Parce qu'ils étaient malades.
Il en avait tremblé dans sa peau.
A l'idée seulement qu'ils étaient malades.
. . .
Il ne pouvait pas vivre avec des enfants malades.
Alors il avait fait un coup (un coup d'audace), il en riait encore quand il y pensait.
Il s'en admirait même un peu. Et il y avait bien un peu de quoi. Et il en frémissait encore.
Il faut bien dire qu'il avait été joliment hardi et que c'était un coup hardi.
Et pourtant tous les chrétiens peuvent en faire autant.
On se demande même pourquoi ils ne le font pas.
Comme on prend trois enfants par terre et comme on les met tous les trois
Ensemble. A la fois...
Lui, hardi comme un homme.
Il avait pris, par la prière il avait pris
(Il faut que France, il faut que chrétienté continue.)
Ses trois enfants dans la maladie, dans la misère où ils gisaient.
Et tranquillement il vous les avait mis.
Par la prière il vous les avait mis.
Tout tranquillement dans les bras de celle qui est chargée de toutes les douleurs du monde.
Et qui a déjà les bras si chargés.
Car le Fils a pris tous les péchés.
Mais la Mère a pris toutes les douleurs. » [1]

Péguy fit, à pied, cent quarante quatre kilomètres. Le troisième jour, il découvre le clocher de Chartres. La cathédrale a trouvé son poète :

---

1. *Le Porche du Mystère de la Deuxième Vertu* (éd. N.R.F.), pp. 56-58.

... « Un homme de chez nous, de la glèbe féconde
A fait jaillir ici d'un seul enlèvement,
Et d'une seule source et d'un seul portement,
Vers votre assomption la flèche unique au monde.

« Tour de David voici votre tour beauceronne,
C'est l'épi le plus dur qui soit jamais monté
Vers un ciel de clémence et de sérénité,
Et le plus beau fleuron dedans votre couronne.

« Un homme de chez nous a fait ici jaillir,
Depuis le ras du sol jusqu'au pied de la croix,
Plus haut que tous les saints, plus haut que tous les rois,
La flèche irréprochable et qui ne peut faiblir. »

A la veille de la guerre de 1914, Péguy, dans une page éloquente, analyse l'homme qu'il est devenu à quarante ans : « D'abord il sait qui il est. Il sait ce que c'est que Péguy. Il sait notamment que Péguy c'est ce petit garçon de dix douze ans qu'il a longtemps connu se promenant sur les levées de la Loire. Il sait aussi que Péguy c'est cet ardent et sombre et stupide jeune homme, dix-huit vingt ans, qu'il a connu quelques années tout frais débarqué à Paris. Il sait aussi qu'aussitôt après a commencé la période d'un certain masque et d'une certaine déformation de théâtre *Persona,* le masque de théâtre. Il sait enfin que la Sorbonne, et l'Ecole Normale, et les partis politiques ont pu lui dérober sa jeunesse, mais qu'ils ne lui ont pas dérobé son cœur. Et qu'ils ont pu lui dévorer sa jeunesse, mais qu'ils ne lui ont pas dévoré son cœur. Il sait enfin, il sait aussi que toute la période intercalaire ne compte pas, n'existe pas, qu'elle est une période intercalaire et de masque et il sait que la période est finie et qu'elle ne reviendra jamais. Il sait qu'il a retrouvé l'être qu'il est, un bon Français de l'espèce ordinaire, et vers Dieu un fidèle et un pécheur de la commune espèce. »

Et Péguy ajoute ces paroles prophétiques : il sait « qu'heureusement la mort viendra bientôt ».[1] Mais, bien que ou parce

---

1. *Œuvres posthumes* (1917), dans *Morceaux Choisis* (Nouvelle Revue Française, 1928), pp. 70-71.

que pressentant sa fin, il écrira, quelques instants avant de partir pour la guerre (ou pour la croisade), un hymne sur la Joie. Il chantera la joie qu'éprouve celui qui vérifie, à la croisée des routes, qu'il ne s'est pas trompé de direction et marche toujours dans la voie difficile mais satisfaisante qu'il s'est choisie.

Le lieutenant de réserve Charles Péguy est mobilisé le 2 août 1914, au 276ème d'infanterie. Il est tué d'une balle au front, le 5 septembre, à Villeroy, dans la plaine de Meaux.

Couché dessus le sol à la face de Dieu.

* * *

Péguy a eu une vie difficile, pauvre, assez malheureuse. Il a suscité et embauché des dévouements extraordinaires, mais jamais il n'a obtenu le large succès qu'il était en droit d'espérer. Il n'a pas été absolument *inconnu* du grand public ; Paul Acker, Barrès, Gide, Halévy, Lasserre, les Tharaud, Sorel, ont même tenté une offensive en règle pour l'imposer après la publication du *Mystère de la Charité de Jeanne d'Arc* ; l'Académie Française lui a donné un de ses prix ; enfin, il a été parodié, tout comme les écrivains les plus connus de son temps, par Reboux et Muller dans leur *A la manière de...* Mais il est certain qu'il n'a pas été compris de son vivant, même par le petit groupe de fidèles, par les premiers abonnés des *Cahiers,* qui, presque tous, l'ont soutenu contre vents et marées.

La principale raison de cet apparent insuccès réside dans le caractère même de l'homme et dans le génie de l'écrivain. Péguy est un indépendant dans toute l'acception du terme. C'est un homme sans système, incapable de se laisser classer ou encadrer dans une doctrine ou dans un parti.

Péguy est candide, fidèle, intact. Il est né avec l'esprit de pureté et s'est efforcé de le conserver, de l'épouser jusqu'à son dernier souffle. Il est totalement *pur* et désintéressé. C'est sa force. C'est aussi sa faiblesse. Il n'a pas d'esprit, au sens mondain du mot, — en dépit de son goût et de son sens du comique.

Impérieux comme sa mère, ardent, orgueilleux (à la façon d'un Claudel), porté par son génie, Péguy aime à écouter le son de sa propre voix et s'en grise parfois. Mais cela ne l'empêche pas, quoi qu'on en ait dit, d'écouter celles des autres, surtout quand il s'agit du peuple, avec qui il sympathise de toutes les fibres de son être : il est lui-même peuple et, de tous les écrivains français, c'est peut-être, avec Michelet, celui qui a le mieux parlé du peuple.

Il est difficile d'analyser en quelques pages le génie de Péguy. Du moins peut-on essayer d'en dégager les différents aspects et de voir ce qui subsiste de l'œuvre du critique littéraire, du doctrinaire, du pamphlétaire, du soldat et du poète.

* * *

Le fondateur des *Cahiers de la Quinzaine* a été, pendant sa vie, un remarquable professeur. Un professeur qui n'a pas enseigné dans une chaire officielle, mais un grand, un enthousiaste professeur *libre* de littérature, de morale et de socialisme. Un professeur extra-universitaire et anti-universitaire, qui a la vocation de l'enseignement, mais éprouve une sainte horreur pour le pédantisme et les pédants, les archives et les fiches. Ce Normalien est peut-être le seul ancien élève de la rue d'Ulm qui en soit sorti indemne.

Ce professeur est un homme extrêmement cultivé. Il est nourri d'Homère, de Sophocle et de Virgile. Il connaît à fond tous les classiques latins et grecs. Qui plus est, il les aime : « Le grammairien qui une fois la première ouvrit la grammaire latine sur la déclinaison de *rosa, rosæ* n'a jamais su sur quels parterres de fleurs il ouvrait l'âme de l'enfant. » [1] Il les aime au point de respecter *a priori* ceux qui les aiment comme lui.

Il a gardé à ses professeurs une infinie reconnaissance et propose en modèles à la République ces hommes qui étaient « tout honneur et toute droiture, tout cœur et toute probité » :

... « Honneur à ces vieilles gens ; de tels hommes raisonnaient plus pour classer une copie que nos gouvernements

1 *L'Argent*, p. 53.

ne déraisonnent pour déclasser tout un peuple ; honneur à eux ; ils n'avaient point inventé la pédagogie ; mais ils faisaient leur classe ; ils n'avaient point inventé la sociologie, mais ils étaient l'honneur et le soutien des véritables humanités ; ils n'avaient point inventé la démagogie ; mais sortis du peuple ils étaient le pain de chaque jour, le véritable pain de froment de tout un peuple ; ils n'avaient point inventé la technologie et le scientisme ; ils ne parlaient point tous les quarts d'heure de la méthode historique ; ils faisaient leur métier. » [1]

Le premier mouvement de Péguy est de sympathiser avec tous ceux qui, comme Jaurès, savent leurs classiques par cœur. Lui-même cite constamment les classiques. Sa mémoire livresque est étonnante. On lui pardonne presque toujours car elle n'est jamais pédante. Citer, pour lui, est communier avec le lecteur dans l'admiration d'un beau vers ou d'une belle phrase.

Sa culture n'est pas, à vrai dire, aussi universelle que celle d'un Sainte-Beuve. Il n'a presque jamais ouvert un livre étranger : il n'a pas eu le temps. A part Bergson, Péguy connaît mal la littérature contemporaine. Flaubert, Baudelaire, l'ont laissé indifférent. Mais il a lu Corneille, il a lu Hugo, et il les sait par cœur. Et il est supérieur à Sainte-Beuve par la puissance de l'expression et par l'intuition des valeurs.

C'est un grand critique, un des plus grands de notre temps sans doute. D'aucuns estiment que son volume sur Hugo (*Victor Marie Comte Hugo*) et son ouvrage sur Bergson et Polyeucte (*Note conjointe sur M. Descartes*) sont peut-être les chefs-d'œuvre de la critique française. [2]

Qui, mieux que Péguy, a su parler de Corneille ? Qui, mieux que lui, a pénétré jusqu'aux arcanes les plus secrètes de la poétique et du génie de l'auteur du *Cid* ? Il suffit, pour s'en convaincre, d'ouvrir au hasard la *Note conjointe sur M. Descartes* : dans *Le Cid,* y lisons-nous, « l'honneur est encore un amour et l'amour est encore un honneur ».

1. *Pour la rentrée*, p. XXII.
2. Cf. Denis Saurat, *Perspectives,* p. 157.

A propos de *Polyeucte* : « Le saint et le martyr et Dieu même n'y reçoivent aucun accroissement frauduleux. Voilà l'éclatante et unique beauté de *Polyeucte.* C'est ce magnifique dévêtement du saint, du martyr et de Dieu. Il est si rare que les tenants de la bonne cause n'aient pas peur. »

De Hugo, des romantiques, il a dénoncé les faiblesses avec une belle acuité :

« Leurs troubles appris, leurs troubles artificiels (intellectuels), ne leur ont jamais permis d'obtenir que des profondeurs superficielles. Quand Hugo suivait sa nature, son génie classique, il était profond et clair. Quand il s'esquintait pour être et à être romantique, il se donnait un mal de chien pour obtenir un mystérieux en papier d'emballage. »

Esprit faux et cœur biais, le romantique toujours exagère, outrepasse, fabrique de fausses misères et de fausses grandeurs :

« L'impair, le décalé, le porte à faux, c'est le romantisme même, c'est le secret du romantisme. Et ce n'est pas un secret bien malin. »

* * *

Vieux républicain, — comme il disait, — Péguy a été un ardent professeur de *vrai* républicanisme. Il a aimé ses vieux maîtres républicains, ces « hommes de l'ancienne France ». Il a constamment prôné et défendu la « mystique républicaine » contre les politiciens de la Troisième République, qu'il s'agît de Combes ou de Jaurès :

... « Il y a eu un temps, » dit-il dans *Notre Jeunesse,* « un temps héroïque où les malades et les mourants se faisaient porter dans des chaises pour aller déposer leur bulletin dans l'urne. Déposer son bulletin dans l'urne, cette expression vous paraît aujourd'hui du dernier grotesque. Elle a été préparée par un siècle d'héroïsme. Non pas d'héroïsme à la manque, d'un héroïsme à la littéraire. Par un siècle du plus incontestable, du plus authentique héroïsme...

... « La mystique républicaine, c'était quand on mourait pour la République, la politique républicaine, c'est à présent qu'on en vit. »

La République, Péguy la veut héroïque et pure. Il pense qu'elle l'a été tant que les Républicains se sont battus pour elle. L'Affaire Dreyfus a été le dernier soubresaut de la mystique et de l'héroïsme républicains.

Péguy n'est ni démocrate — ni maurrassien, — au sens étroit du mot.

Il n'est pas démocrate parce qu'il ne pense pas que des bulletins additionnés puissent exprimer la volonté d'un peuple. Il a une trop haute idée de la liberté pour la courber sous le nombre, une trop haute idée de l'autorité pour admettre qu'elle puisse sortir d'un mécanisme. Il veut une république fondée sur la liberté et l'honneur, sur le travail, le courage et les élites, non sur les masses abstraites et les bureaux.

D'autre part, il assigne au *chef* un rôle qui est tout le contraire du parlementaire. Le chef incarne, non les intérêts politiques, mais l'ordre, la patrie, la terre. Le chef est nécessaire, mais c'est un héros qui s'expose et dont la tâche est à la fois ardue et sublime :

« Ils ne marcheront pas s'ils n'ont un chef de guerre, » dit Jeanne d'Arc.

« Qu'il soit chef de bataille et chef de la prière... »

Quant à Maurras, à l'*Action Française*, Péguy leur est étranger. Il ne vit pas sur le même plan. Le nom, la forme de l'État ne lui importent guère. Le XIXe siècle ne lui paraît pas criminel : les fautes humaines sont rachetables « et l'arbre de la race est lui-même éternel ». Pour lui, le système maurrassien est une construction logique, *intellectuelle*, dépourvue de chair. Ces rationalistes, qui sont des jacobins mal déguisés, ne sont pas « pour un atome des hommes de l'ancienne France ». Et l'*Action Française* n'est pas réellement monarchiste parce qu'au lieu de construire, de faire de l'Ordre, elle ranime le vieil esprit des ligues, hostile à la souveraineté royale :

« Moi, je ne vois pas les choses en noir. Ce qu'il y a de mauvais, c'est le parlementarisme. Mais le parlementarisme ne gâte pas tout...

... « Les gens d'*Action Française* ont très mal aiguillé. Au lieu de faire du désordre, ils devraient, ils auraient pu soutenir, fortifier, tout ce qui, dans la République, est permanent, et, par là, continue l'Ancien Régime... Ce qu'il y a de très curieux, c'est que les types qu'ils attaquent et salissent le plus ce sont justement les types d'Ancien Régime. Voilà Briand, c'est tout à fait le grand courtisan ; et Millerand, c'est le grand commis ; c'est bien cela : Briand-Mazarin, Millerand-Colbert. »

A l'antisémitisme de l'*Action Française*, Péguy jette l'aliment de la *politique* juive qui est « sotte, comme toutes les politiques ». Mais il oppose à cette politique stupide, prétentieuse, envahissante parfois, la *mystique* dont elle est issue. Et il trace un admirable portrait de Bernard Lazare, l'inspirateur, le héros intellectuel, l'âme de l'affaire Dreyfus, l'homme qui, comme Péguy, a été dreyfusiste contre Dreyfus lorsque celui-ci a montré, en acceptant sa grâce, qu'il n'était pas un pur tenant de la mystique dreyfusiste.

* * *

Péguy est aussi un professeur de socialisme. Mais non de marxisme. Non de socialisme rationaliste. Non d'inhumaines idéologies. Il ne veut pas être un doctrinaire. Le socialisme de sa jeunesse a été, il le dit lui-même, « une sorte de christianisme du dehors ». Pour lui « *la révolution sociale sera morale ou ne sera pas* ».

Péguy est socialiste par amour du peuple. Fils du peuple, il est fier de ses origines et ne les reniera jamais. Son socialisme est à base concrète, terrienne, artisane et ouvrière. Il est socialiste parce qu'il aime le menu peuple, celui qu'il a connu à Orléans, au faubourg Bourgogne. Il a, comme le peuple, le souci de l'égalité. Mais, plus encore que l'égalité, la fraternité lui paraît importante :

« Par la fraternité nous sommes tenus d'arracher à la misère nos frères les hommes : c'est un devoir préalable ; au contraire le devoir d'égalité est un devoir beaucoup moins pressant ; autant il est passionnant, inquiétant de savoir qu'il y a encore des hommes dans la misère, autant il m'est égal de savoir si, hors de la misère, les hommes ont des morceaux plus ou moins grands de fortune ; je ne puis parvenir à me passionner pour la question célèbre de savoir à qui reviendra, dans la cité future, les bouteilles de champagne, les chevaux rares, les châteaux des vallées de la Loire ; j'espère qu'on s'arrangera toujours ; pourvu qu'il y ait vraiment une cité, c'est-à-dire pourvu qu'il n'y ait aucun homme qui soit banni de la cité, tenu en exil dans la misère économique, tenu dans l'exil économique. »[1]

Péguy veut l'« harmonie sociale », c'est-à-dire la suppression des abus et des injustices. Aussi se méfie-t-il des bourgeois et déteste-t-il les maux causés par l'argent.

Ce qu'il appelle la cité harmonieuse, c'est une société libérée du capitalisme et des abus de la démocratie ; une société où les prolétaires sont réintégrés dans la nation et les financiers strictement contrôlés ; une société consciente de son pouvoir pour regarder la guerre en face, mais assez intelligente et équilibrée pour ne pas se jeter inutilement dans une aventure belliqueuse. C'est la justice et la charité dans l'Etat. Charité sans justice égale capitalisme. Justice sans charité égale totalitarisme.

La cité socialiste est fondée sur des règles, sur une discipline, sur une hiérarchie. C'est « une image en noblesse de la vie de caserne ». La cité harmonieuse exigera des citoyens une bien autre soumission que la cité bourgeoise. « L'insoumis ne pourra pas être bon citoyen de la cité. Et parmi les insoumis, rien de pire que le petit bourgeois qui coupe à la corvée, grâce à son argent, à son intrigue et à son astuce. »[2]

La cité est aussi fondée sur le travail bien fait. Péguy a horreur du révolutionnaire qui se croit dispensé de travailler. Il déteste par-dessus tout le sabotage.

Tout cela est fort éloigné de la politique à la petite semaine et l'on conçoit que Péguy ait condamné « les vanités oratoires d'un socialisme scolaire ».

« Je crois, » disait Péguy, « que jamais la fin ne justifie les moyens ; je crois en particulier que jamais la fin socialiste ne justifie les moyens politiques ; je crois que l'on

---

1. *Cahiers de la Quinzaine*, IV, 3, du mardi 4 novembre 1902 (de *Jean Coste*).

2. Charles Lucas de Peslouan, rapporté par Barrès (*Revue Critique des Idées*, 25 avril 1920, p. 263).

n'avance pas vers la justice, dans la justice, par la voie de l'injustice, que l'on n'avance pas vers la vérité, dans la vérité, par la voie du mensonge et de l'erreur. Je refuse de recommencer pour le socialisme le vieux jésuitisme et la vieille immoralité. »[1]

On comprend que l'admiration de Péguy envers le Jaurès de l'Affaire Dreyfus n'ait pas survécu à l'action politique du député socialiste. A Jaurès, Péguy reprochera d'être, au fond, un bourgeois et non un homme du peuple ; d'être devenu un politicien, c'est-à-dire d'avoir perdu contact avec le peuple et avec la mystique socialiste ; d'avoir flatté les passions basses qui démoralisent le peuple, c'est-à-dire qui abîment les bons travailleurs, piliers de la cité harmonieuse.

Péguy n'est pas hostile à l'internationalisme, système « de temporelle justice et de mutuelle liberté entre les peuples ». Mais il se dresse contre les politiciens qui ont essayé d'en extraire un vague cosmopolitisme des intérêts bourgeois.[2]

Péguy est pacifiste, mais ne croit pas à la paix à tout prix. Il admire Descartes, entre autres raisons, parce qu'il a fait la guerre. Son pacifisme est dans la tradition révolutionnaire et populaire française. Il fait songer à celui de Victor Hugo. En quittant Paris, en août 1914, il écrivait : « Nous partons, soldats de la République, pour le désarmement général et la dernière des guerres. Nous n'avons pas péché. Nous n'avons pas failli. »

* * *

Péguy est un professeur de morale chrétienne et, sinon de catholicisme *romain*, du moins, dans une large mesure, de christianisme. Il l'est, même dans la période de sa jeunesse où il se prétend « athée ». Il l'est, même lorsqu'il paraît se révolter contre l'Eglise parce que le salut rencontre dans le dogme catholique des bornes qu'il n'accepte pas.

A Orléans, il a reçu, parallèlement à l'enseignement de ses maîtres laïques, celui du catéchisme qu'il suivait tous les

1. *Cahiers de la Quinzaine*, IV, 4, p. 105.
2. Cf. *L'Argent,* suite (*Cahiers,* XIV, 9, pp. 159-161).

jeudis à la paroisse de Saint-Aignan. Il a aimé d'un même cœur les deux métaphysiques de l'instituteur et du curé. Jamais il n'oubliera de rappeler l'enseignement du Christ. Cet enseignement, à ses yeux, est comparable à celui des Cathédrales.

A la différence de Claudel, qui est un catholique de la Contre-Réforme, Péguy est un chrétien d'avant la Réforme. Né au XIIIe siècle, il aurait été sûrement d'Eglise. Homme du XXe, il a une naïveté de foi semi-médiévale et tout à fait personnelle. Son bon Dieu est « un honnête homme ». Ce n'est pas un « bourreau d'Orient ». C'est un « bon père », qui juge en père. « Et l'on sait comment les pères jugent... »

Le paradis de Péguy, a-t-on dit, « entre ciel et terre, est habité par un Dieu en sabots, des saints officiers de réserve et une Vierge rempailleuse de chaises ». Rien de plus exact que cette spirituelle boutade. Le fils de Dieu, dans le *Mystère de la Charité de Jeanne d'Arc*, est un artisan :

« Car il avait travaillé dans la charpente, de son métier.
Il travaillait, il était dans la charpente.
Dans la charpenterie.
Il était ouvrier charpentier.
Il avait même été un bon ouvrier
Comme il avait été un bon tout.
C'était un compagnon charpentier.
Son père était un tout petit patron.
Il travaillait chez son père
Il faisait du travail à domicile. » [1]

Non, les habitants du « Paradis harmonieux » ne sont point des chômeurs. Aucun ange, aucune sainte qui n'ait un métier et n'aime la « belle ouvrage ».

Péguy est opposé à l'explication théologique, comme il l'est à l'explication sorbonnarde :

« Je suis de ces catholiques qui donneraient tout Saint Thomas pour le *Stabat*, le *Magnificat*, l'*Ave Maria* et le *Salve Regina*...

1. *Le Mystère de la Charité de Jeanne d'Arc* (Nouvelle Revue Française), p. 107.

« Une parole de Saint Louis ou de Jeanne d'Arc met tout Saint Augustin par terre. »

Péguy d'ailleurs n'a probablement lu ni Saint Augustin ni Saint Thomas... ni Jacques Maritain. Mais Daniel-Rops remarque à juste titre qu' « il y a eu bien des saints qui ont éprouvé une analogue méfiance à l'endroit de la théologie (saint François d'Assise par exemple) et surtout que l'homme en qui la foi est tellement assurée qu'elle n'a besoin d'aucun raisonnement a beaucoup de mal à concevoir un esprit qui exige la base rationnelle ».[1]

L'important, pour Péguy, c'est l'essence du christianisme. Ce n'est pas le « rendez à César ce qui est à César » et les formules de compromission de l'Eglise avec le siècle. Au monde moderne, qui refuse de reconnaître le divin et la Sainteté, Péguy a rappelé ces éléments importants du christianisme que sont le mystère, le divin, le surnaturel, la sainteté.

A Normale, Péguy avait commencé une première *Jeanne d'Arc* : c'est la Jeanne socialiste de sa jeunesse. Dix ans plus tard, il reprend le thème de la Pucelle dans le *Mystère de la Charité de Jeanne d'Arc*.

Dans la première *Jeanne d'Arc*, Hauviette, la petite compagne de Jeanne, propose un remède au mal, à la misère : le travail. Madame Gervaise en propose un autre : la prière. Jeanne — c'est-à-dire Péguy — pense qu'il faut allier les deux méthodes : prier et agir, c'est-à-dire agir, « se dévouer et sauver », après s'être mis en harmonie avec les principes supérieurs, avec la volonté divine.

Le Mystère de la Charité de Jeanne d'Arc est le drame de la formation humaine et spirituelle de Jeanne. Chrétienne exigeante, comme Péguy, la Pucelle est tentée par l'orgueil d'aimer Dieu plus que Dieu peut-être ne le veut. Mais cette tentation d'orgueil se retourne et se résout dans un héroïsme chrétien et national. Entêtée, comme Péguy, à s'interroger et à interroger Dieu, elle se découvre et s'élucide progressivement, elle se pousse, pour le salut du peuple de Dieu, vers l'héroïsme et la sainteté :

---

1. Daniel-Rops, *Péguy*, pp. 215-216.

... « — O s'il faut pour sauver de la flamme éternelle
Les corps des morts damnés s'affolant de souffrance,
Laisser longtemps mon corps à la souffrance humaine,
Mon Dieu, gardez mon corps à la souffrance humaine ;
Et s'il faut, pour sauver de l'Absence éternelle
Les âmes des damnés s'affolant de l'Absence,
Laisser longtemps mon âme à la souffrance humaine,
Qu'elle reste vivante en la souffrance humaine... » [1]

Les deux *Jeanne d'Arc* sont au fond de la pensée chrétienne de Péguy. Elles résument ses aspirations, son idéal humain. Jeanne, a-t-on dit, n'a pas été seulement un modèle sublime, mais véritablement la solution du problème de sa destinée.

* * *

Patriote et héros, Péguy a été aussi un professeur de patriotisme et d'héroïsme. Il a été un réveilleur de la conscience et de l'énergie nationale.

Il a ressenti, toute sa vie, un amour profond pour la terre de France. Il a aimé sa patrie comme un paysan aime son champ ; la patrie est pour lui son champ et tout ce qui l'entoure. Et il a aimé aussi les traditions nationales, parce qu'il a eu le sens de la continuité historique :

« Il faut que la paysannerie continue.
Et la vigne et le blé et la moisson et la vendange.
Et le labour de la terre
Et le pâtour des bêtes
. . .
Il faut que la Chrétienté continue
. . .
Il faut que la paroisse continue.
Il faut que France et que Lorraine continue. » [2]

Il a, à maintes reprises, chanté les vertus du peuple français, ce favori de Dieu le père, parce qu'il est *le mieux accointé à la vertu d'Espérance.*

1. *Le Mystère de la Charité de Jeanne d'Arc* (éd. N.R.F.), p. 88.
2. *Le Porche du Mystère de la Deuxième Vertu,* p. 36.

« Peuple qui fais le Pain, peuple qui fais le Vin.
O ma terre lorraine, ô ma terre française,
Peuple qui suis le mieux, qui as le mieux pris les leçons de mon fils.
Peuple accointé à cette petite Espérance.
Qui jaillit partout dans cette terre.
Et dans les mystérieux.
Dans les merveilleux, dans les très douloureux jardins des âmes
Peuple jardinier qui as fait pousser les plus belles fleurs
De sainteté
Par la grâce de cette petite Espérance.

Peuple qui fais reculer les pestilences
Par l'ordre. Par la propreté, par la probité ; par la clarté.
Par une vertu qui est en toi, par une vertu propre,
par une vertu unique.
Peuple jardinier, qui laboures et qui herses,
Qui bêches et qui râtisses,
Qui ameublis la création même.
Et je le dis, dit Dieu, je le déclare : Rien n'est aussi profond qu'un labour.
Et rien n'est aussi beau, je m'y connais,
Rien n'est aussi grand dans ma création
Que ces beaux jardins d'âmes bien ordonnés comme en font les Français.
Toutes les sauvageries du monde ne valent pas un beau jardin à la française.
Car c'est là qu'il y a le plus d'âme et le plus de création. » [1]

Cette terre de France, Péguy est prêt à la défendre les armes à la main. Il aime se battre pour une cause, et la patrie n'est-elle pas la plus belle des causes ? Au premier signal de guerre, il a couru au *Bon Marché* acheter un nécessaire de mobilisation. Il a, comme Barrès, comme Déroulède, passionnément aimé sa patrie. Il est tombé pour elle.

Cependant, Péguy savait — il l'a précisé à propos de Louis de Gonzague — qu'il ne faut pas s'exposer à la ten-

1. *Le Porche du Mystère de la Deuxième Vertu*, pp. 178-179.

tation de l'orgueil national. Il ne fait pas l'apologie de la France seulement parce qu'il aime le sol natal. Il la fait aussi parce qu'il voit dans les Français les défenseurs de la *liberté*. Il nous montre constamment que nous devons agir en ordonnant nos gestes vers une fin suprême qui est la volonté de Dieu.

* * *

Si déconcertante que soit parfois sa prose, Péguy est un grand écrivain.

Il ne compose pas, pourtant, suivant les règles — classiques ou autres. Compose-t-il même toujours ? L'idée de plan, d'ailleurs, lui paraît ennemie de l'idée créatrice. « Ce qu'il voulait avant tout, c'était conserver l'imprévu, la fraîcheur de la pensée frémissante encore d'être née et d'émerger tout à coup à la conscience claire. En cela sa pente naturelle s'accordait parfaitement avec l'idée que son maître Bergson se fait de ce moment unique, qui n'est pas encore le passé, qui n'est déjà plus le futur, qui est le présent, la vie même, le bourgeon qui éclate, moment ténu, rapide, qui fait l'éternelle jeunesse du monde, et tout de suite se transforme pour devenir mémoire, vieillesse et se durcir en écorce. » [1]

Composition plus musicale qu'architecturale. Péguy, sourd à la musique, n'en fait pas moins songer par certains de ses rythmes, par certaines de ses incantations, à un Wagner ou un César Franck.

Son style est caractérisé par des effets de répétition, des énumérations, des litanies, des reprises de thèmes qui s'enflent et se transposent :

« Le bon Dieu a appelé tout le monde, il a convoqué tout le monde, il a nommé tout le monde. Sa Providence pourvoit. Sa Providence prévoit. Sa Providence veille sur tout le monde. Il a vue sur tout le monde. Il conduit tout le monde par la main. Il nous a toutes désignées. Nous sommes toutes entrées au couvent de chrétienté. Nous nous sommes toutes réfugiées au grand couvent de chrétienté. Dieu nous a toutes instruites, convoquées, il nous a toutes commandées. Nous

1. J. & J. Tharaud, *Notre Cher Péguy*, II, p. 3.

BRIAR CLIFF COLLEGE
SIOUX CITY, IOWA

sommes tous de sa maison, de la même maison, et c'est Dieu qui conduit toute la maisonnée. »

Ces répétitions qui impriment l'idée dans la mémoire sont accentuées par une ponctuation extrêmement originale. Tantôt les phrases sont coupées de points trois fois par ligne, tantôt Péguy écrit dix-huit pages consécutives en les ponctuant seulement de dédaigneuses virgules. [1]

Ce style oratoire a la force et la grandeur d'une tempête.

* * *

Mais Péguy écrivain est essentiellement poète. C'est un poète chrétien, dont l'expérience intime seule explique l'extériorisation poétique. Très pur, il a connu l'angoisse de perdre sa pureté originelle. Il a vu que la vie, le « vieillissement » pouvaient le faire tomber dans l'imperfection, dans la matérialisation. Il a été hanté par la peur de perdre la « vertu d'enfance », de céder aux insidieuses trahisons quotidiennes, à la paresse des accoutumances :

« Il y a quelque chose de pire que d'avoir une mauvaise âme. C'est d'avoir une âme toute faite. Il y a quelque chose de pire que d'avoir une âme perverse. Et c'est d'avoir une âme habituée. »

Pour échapper à cette menace, pour s'opposer au temps, Péguy a recherché l'enfance infinie dans l'Eternel, car le Seigneur

« ... est là parmi nous comme au jour de sa mort.
Il est là parmi nous dans tous les jours de son éternité. »

Recourir à Dieu, c'est échapper au temps irréversible, c'est retrouver un temps réversible :

« Les générations éternelles
Qui éternellement vont à la messe,
Dans les mêmes poitrines, dans les mêmes cœurs, jusqu'à l'enterrement du monde,
Dans la même espérance se passent la parole de Dieu. »

---

1. Cf. l'introduction de *Notre Patrie.*

Le poète, délivré de son angoisse, trouve dans l'*oraison* l'expression de sa délivrance :

« Nous ne savons plus rien qu'une simple oraison. »

Dans son extase, il chante la victoire sur le vieillissement :

« Ce qui partout ailleurs est la décrépitude
Assise au coin du feu les poings sur les genoux
N'est ici que tendresse et que sollicitude
Et deux bras maternels qui se tournent vers nous...
Ce qui partout ailleurs est un ajournement
N'est ici que l'oubli du matin et du soir. »

L'oraison n'est autre chose que le lieu du monde où tout devient enfant :

« Ce qui partout ailleurs est un arrachement,
N'est ici que la fleur de la jeune saison.
Ce qui partout ailleurs est une courbature
N'est ici que la fleur de la jeune oraison... »

Prière et poésie s'unissent donc intimement chez Péguy qui trouve dans cette alliance sa solution personnelle et son chant original. La poésie de Péguy n'est pas une imitation de la prière ; *c'est une prière.* D'où les formes de cette poésie, répétitions, croisements, *leitmotive,* déclarations passionnées et litanies abondantes.

Péguy n'est donc pas un versificateur d'école. C'est de toute son âme qu'il est poète. Il l'est profondément, immensément, même dans ses alexandrins qui ne brillent pas toujours par leur perfection formelle. Même si sa *technique* fait parfois songer au pire Hugo, Péguy a le rythme, l'ampleur, la sincérité, le génie des plus grands lyriques. Il est encombré, mais comme Hugo peut l'être, c'est-à-dire avec grandeur et sans qu'on puisse rien élaguer.

Sa poésie peut être familière, gracieuse, gaie, élancée, lorsque, par exemple, elle évoque le jardin d'Eden.

« et les bondissements de la biche et du daim
nouant et dénouant leur course fraternelle. »

Elle peut être riche et puissante, à l'aide de moyens très simples. Elle est même servie par ses innombrables répétitions. Ainsi, à la fin d'*Eve*, dans ce magnifique parallèle entre Sainte Geneviève et Sainte Jeanne, les deux bergères qui, au jour du Jugement Dernier, prendront la tête du peuple parisien — « peuple prodigue, peuple préféré » :

« Dans un vallon semé de bouleaux et de hêtres
L'une est morte au milieu d'un peuple prosterné,
Sur un haut échafaud de bouleaux et de hêtres
L'autre est morte au milieu d'un peuple consterné. »

Les vers que Péguy a écrits sur le thème de l'Espérance, ceux où il fait parler le bon Dieu sur la France, sont parmi les plus beaux :

« Je suis, dit Dieu, Maître des trois Vertus.

La Foi est une épouse fidèle,
La Charité est une mère ardente,
Mais l'Espérance est une toute petite fille.

Je suis, dit Dieu, le Maître des Vertus.

La Foi est celle qui tient bon dans les siècles des siècles,
La Charité est celle qui se donne dans les siècles des siècles,
Mais ma petite Espérance est celle qui se lève tous les matins... »

....

« C'est embêtant, dit Dieu. Quand il n'y aura plus ces Français,
Il y a des choses que je fais, il n'y aura plus personne pour les comprendre.

Peuple, les peuples de la terre te disent léger

Parce que tu es un peuple prompt.
Les peuples pharisiens te disent léger
Parce que tu es un peuple vite.
Tu es arrivé avant que les autres soient partis.
Mais moi je t'ai pesé, dit Dieu, et je ne t'ai point trouvé léger.
O peuple inventeur de la cathédrale, je ne t'ai point trouvé léger en foi.
O peuple inventeur de la croisade, je ne t'ai point trouvé léger en charité.
Quant à l'espérance, il vaut mieux ne pas en parler, il n'y en a que pour eux.

Tels sont nos Français, dit Dieu. Ils ne sont pas sans défauts. Il s'en faut. Ils ont même beaucoup de défauts.
Ils ont même plus de défauts que les autres.
Mais avec tous leurs défauts, je les aime encore mieux que tous les autres avec censément moins de défauts.
Je les aime comme ils sont... »

Enfin, l'invocation aux morts, dans *Eve*, est un des sommets du lyrisme français :

... « Heureux ceux qui sont morts pour la terre charnelle
Mais pourvu que ce fût dans une juste guerre.
Heureux ceux qui sont morts pour quatre coins de terre.
Heureux ceux qui sont morts d'une mort solennelle

....

Heureux ceux qui sont morts, car ils sont retournés
Dans la première argile et la première terre.
Heureux ceux qui sont morts dans une juste guerre.
Heureux les épis mûrs et les blés moissonnés... »

* * *

Contradictoire à tous égards, Péguy est cependant un. C'est un Français complet. Et bien que, ou parce que si purement français, il atteint à l'universel. [1]

1. Cf. son prestige auprès de plusieurs intellectuels russes (Maxence, *Histoire de Dix ans*, p. 150).

* * *

Vingt-six ans après la mort de Péguy, sa statue, à Orléans, est atteinte par un éclat de bombe, et il est, de nouveau, frappé à la tempe. On pourrait presque écrire l'histoire de ce quart de siècle sous le signe de Péguy : 1914-1940 ou « de Péguy à Péguy ».

Péguy vivant avait été peu lu, mal connu, mal interprété. N'ayant pas donné, comme Maurras, des directions politiques immédiates et certaines, il avait été moins écouté et moins suivi que Maurras. Mais, après sa mort, il prend une éclatante revanche.

Dès qu'il apprend le sort tragique du poète-soldat, Barrès lui consacre un article magnifique. « La renaissance française, » écrit-il, « tirera parti de l'œuvre de Péguy authentiquée par le sacrifice. Plus qu'une perte, c'est une semence. Un héros nous est né ». Tout de suite, les lettres françaises sentent leur vide. Bientôt une légende commence à se créer, une renommée s'affirme et ne cesse de grandir.

En 1919, Daniel Halévy donne son *Péguy et les Cahiers de la Quinzaine*. En 1927, les Tharaud publient *Notre cher Péguy*. L'ouvrage se vend à plus de vingt mille exemplaires en quelques années. Et pourtant, il n'était guère satisfaisant pour les péguistes, qui le trouvaient trop léger, trop critique, insuffisamment respectueux et médiocrement fervent. Plus tard, l'étude remaniée de Halévy, celle de Secrétain satisferont davantage un public impatient de connaître la vérité sur le fondateur des *Cahiers de la Quinzaine* et le *Soldat de la Liberté*.

Un des fils de Péguy, Marcel, avait décidé de veiller sur l'œuvre de son père : il la commente, l'explique et reprend la publication des *Cahiers*. D'autre part, la *Nouvelle Revue Française* entreprend la publication — achevée en 1934 — des *Œuvres Complètes* de Péguy.

Graduellement, Péguy se lève de sa tombe de Villeroy. Dès 1930, sa présence se fait sentir dans tous les cercles vivants de jeunes :

« Péguy, pour nous, c'était d'abord un pont jeté entre les horizons claudéliens, les grandes perspectives catholiques et les menaces de l'événement, les contingences de chaque jour. Charles Péguy ou l'intercesseur... Ce Péguy solide..., opiniâtre, douloureux, acharné, ce Péguy tout appliqué à diagnostiquer, à souligner, à éclairer les maux de son temps, les événements contemporains, attaché à eux étroitement, comme le corps du Christ au bois de la Croix, cela pour nous c'était quelque chose, une présence, une force, une grandeur ! »[1]

La même année, la revue des *Cahiers* publie un numéro d'hommage à Péguy, sous le titre de *Porche à l'œuvre de Charles Péguy*. Fait important, seuls des jeunes hommes écrivent ce *Porche*. Robert Francis y note : « La force de Péguy est d'avoir confiance en la force du réel. » C'était, en effet, le sens du réel, et la grandeur que la jeunesse cherchait et trouvait dans Péguy. 1930 offrait une littérature « désincarnée ». Péguy procédait, a-t-on dit, de l'Incarnation.

Le groupe *Esprit,* fondé en 1932, s'inspire de Péguy. Emmanuel Mounier et Georges Izard, deux des fondateurs, avaient travaillé en collaboration avec Marcel Péguy, à un ouvrage sur *La Pensée de Charles Péguy. Esprit* s'inspire directement des principes pluralistes du *Dialogue de la Cité Harmonieuse*. Comme Péguy, le groupe refuse de bloquer la masse en une seule opinion, d'offrir le peuple à « l'oppression des cyniques, des malins et des brutaux ».

Il y a bien encore des résistances : des « barbares », des politiciens, déclarent encore en 1933 que Péguy fut « un assez vilain bougre » qui écrivait un « galimatias assommant ».[2] Mais ces voix sacrilèges se perdent dans le tumulte.

En 1934, on célèbre le vingtième anniversaire de sa mort. On lit ses œuvres au Quartier Latin. Le succès est tel qu'on doit tripler les séances. Quelques années plus tard, c'est au Théâtre Français que des publics bouleversés écoutent la récitation des premières pages du *Mystère de la Charité de Jeanne d'Arc* :

« O mon Dieu, si on voyait seulement le commencement

1. J. P. Maxence, *Histoire de Dix ans*, pp. 144-145.
2. A. Zévaès, *Agence technique de la presse*, 16 août 1933.

de votre règne. Si on voyait seulement se lever le soleil de votre règne. Mais rien, jamais rien. Vous nous avez envoyé votre Fils, que vous aimiez tant, votre Fils est venu, qui a tant souffert, et il est mort, et rien, jamais rien. Si on voyait poindre seulement le jour de votre règne. Et vous avez envoyé vos saints, vous les avez appelés chacun par leur nom, et vos saints sont venus, et vos saintes sont venues, et rien, jamais rien. Des années ont passé, tant d'années que je n'en sais pas le nombre : des siècles d'années ont passé ; quatorze siècles de chrétienté, hélas ! depuis la naissance, et la mort, et la prédication. Et rien, rien, rien, jamais rien. Et ce qui règne sur la face de la terre, rien, rien, ce n'est rien que la perdition... Mon Dieu, mon Dieu, faudra-t-il que votre Fils soit mort en vain. Il serait venu et cela ne servirait de rien... »

Péguy est mort depuis plus d'un quart de siècle et son action grandit chaque jour.

On emprunte à Péguy les notions d'« époque » et de « période ». L'entre-deux-guerres, aux yeux de bien des jeunes, a été une période, et non une de ces époques grandes par la culture ou l'événement. [1]

1940 sonne le glas de cette période.

On se rappelle alors que Péguy, qui a cru dans la France et qui est mort pour elle, n'a jamais toléré la pensée de la disparition de son pays. La France est au-dessus de toute incertitude, de tout désespoir :

« Le deuxième péché charnel, mon enfant, le plus grand
péché qui soit jamais tombé dans le monde
Quand le sang s'affaisse dans le cœur, le péché de désespoir... »

Péguy, deux fois tué par les Allemands et deux fois ressuscité, devient un des symboles de la réconciliation des Français et de la résistance à l'oppression. Il prend place définitivement, à côté des grands classiques qu'il a aimés, dans le patrimoine littéraire et moral de la France.

1. Cf. Maxence, *Histoire de Dix Ans*, p. 10.

CHRONOLOGIE DE JULIEN BENDA
(né en 1867)

1900 *Dialogues à Byzance* (Fasquelle)
1910 *Mon premier Testament* (Nouvelle Revue Française)
Dialogue d'Eleuthère (Emile Paul)
1912 *L'Ordination* (Emile Paul)
Le Bergsonisme ou une Philosophie de la Mobilité (Mercure de France)
1914 *Sur le Succès du Bergsonisme* (Mercure de France)
1917 *Les Sentiments de Critias* (Emile Paul)
1918 *Le Bouquet de Glycère* (Emile Paul)
Belphégor (Emile Paul)
1922 *Les Amorandes* (Emile Paul)
1923 *La Croix de Roses* (Grasset)
1924 *Lettres à Mélisande* (Grasset)
1925 *Billets de Sirius* (Au Divan)
1927 *La Trahison des Clercs* (Grasset)
1928 *Properce ou les Amants de Tibur* (Grasset)
1929 *La Fin de l'Eternel* (Nouvelle Revue Française)
1930 *Appositions* (Nouvelle Revue Française)
1931 *Essai d'un Discours cohérent sur les Rapports de Dieu et du Monde* (Nouvelle Revue Française)
1932 *Esquisse d'une Histoire des Français dans leur Volonté d'être une Nation* (Nouvelle Revue Française)
1933 *Discours à la Nation européenne* (Nouvelle Revue Française)
1935 *Délice d'Eleuthère* (Nouvelle Revue Française)
1936 *La Jeunesse d'un Clerc* (Nouvelle Revue Française)
1938 *Un Régulier dans le Siècle* (Nouvelle Revue Française)
1939 *Précision* (Nouvelle Revue Française)
1942 *La Grande Epreuve des Démocraties* (New York, Ed. de la Maison Française)

JULIEN BENDA

« Et l'histoire sourira de penser que Socrate et Jésus-Christ sont morts pour cette espèce. »

(La Trahison des Clercs)

Ce n'est point pur hasard que l'ouvrage le plus connu de Julien Benda soit *La Trahison des Clercs.* Cet apôtre convaincu des idées, ce champion de l'Intellect pur, a eu, tout au long de sa carrière, des préoccupations de *clerc.* Il s'est efforcé de déceler partout les ennemis de l'Intelligence. Il s'est fait le Fouquier-Tinville des intellectuels suspects d'infidélité aux Valeurs Eternelles. Il s'est, avec un orgueil et des faiblesses d'intellectuel, plus ou moins consciemment érigé en modèle du *Clerc.* Il reste à savoir dans quelle mesure son image du *clerc* n'a pas été, sinon une trahison, du moins une déformation de la cléricature.

* * *

Quiconque désire comprendre l'homme et sa carrière doit commencer par la lecture de *La Jeunesse d'un Clerc,* le plus révélateur des ouvrages de Benda. L'auteur analyse, dans cette quasi-autobiographie, en même temps que sa formation, l'origine profonde de son adoption des valeurs spirituelles conçues dans l'absolu, de ce qu'il appelle le *non historique.*

Julien Benda est né à Paris le 26 décembre 1867. Ses parents étaient des israëlites déracinés et affranchis. Jamais ils ne lui vantèrent les beautés de sa religion ou de sa race : « Quant à la culture juive, ils ne lui vouaient aucune estime spéciale, ils la trouvaient barbare sur un grand nombre de points, et n'eussent jamais songé à m'élever en son nom. » L'enfant fut donc très tôt éloigné de tout traditionalisme culturel.

Il y a une autre façon, pour des parents, d'élever un être dans le respect de l'historique. C'est de lui présenter les valeurs qu'on lui prêche en les ramenant à sa nation ; c'est de l'inviter à honorer l'intelligence française, la probité française, la liberté française. Or, les parents de Benda, quoique très attachés à la France, savaient bien que, même du côté de sa mère, « leur établissement en ce pays ne remontait pas à plus de trois ou quatre générations et n'eussent jamais admis le comique de se réclamer de la *tradition* française ».

Une troisième et dernière manière d'élever un enfant dans le respect de l'historique, c'est, à défaut de religion ou de nationalisme, de relier ces valeurs à la famille, de dire : « Tu dois être loyal, courageux, énergique, parce que ce sont là les mœurs de tes ancêtres, de ta maison. » Mais la famille, les familles « occupaient peu de place dans leurs âmes ».

Les appels à l'histoire ont donc été absents de l'enseignement reçu par l'enfant. C'est là ce qu'il entend par le *non historique* mentionné plus haut. Il n'aurait pas été impossible, pour une personne d'imagination, de prophétiser, aux environs de 1875, et de discerner l'auteur de la *Trahison des Clercs* dans ce petit garçon assis à table entre deux grandes personnes qui lui prônaient les beautés de la raison, du travail, de la science et jamais les particularités de sa nation, de ses aïeux, ou de sa race.

Certaines réflexions de son jeune âge montraient déjà son tour d'esprit futur :

« J'avais peut-être neuf ans quand, un jour, en promenade, je demandai à mon père : « Pourquoi dit-on qu'un pardessus est chaud ? Mon pardessus n'est pas chaud ; je ne me brûle pas quand je le touche. » Mon père m'expliqua qu'on voulait dire que, mauvais conducteur de la chaleur, il faisait que mon corps restait chaud, il tenait chaud. J'admis l'explication, mais, continuant de marcher, le nez sur le bout de mes souliers, je prenais mal mon parti du peu de rigueur des hommes dans leur langage. »

Une autre fois, l'enfant, avec une jeune cousine, apprenait les cas d'égalité des triangles. Ils avaient tracé sur une grande feuille de papier blanc deux de ces figures et démontré que, puisqu'elles avaient un angle égal compris entre deux côtés respectivement égaux, elles étaient égales. La fillette voulut vérifier et, à l'aide d'un rapporteur, voir si, en effet, les angles du premier triangle étaient égaux à ceux du second. « Je m'y opposai formellement, » écrit Benda, « déclarant que tout cela était parfaitement inutile *puisqu'on l'avait démontré.* » Le jeune garçon éprouvait déjà pour la raison une admiration sans bornes et accordait à l'expérience le mépris qu'on attache aux choses frivoles.

Un autre mot nous semble plus grave pour un gamin de cet âge. On lisait devant lui une annonce : « Voici les mites, humains, défendez-vous. » Et moi, dis-je, fort sérieux, je pense à cette autre : Voici les humains, mites, défendez-vous. Je tenais déjà qu'au regard de Dieu les mites sont aussi valables que les hommes. » De même, au regard de Dieu, les Ethiopiens sauvages sont aussi valables que les conquérants blancs. Benda a horreur du « Soyons forts » de Nietzsche et Sorel : ce qui, aux alentours de 1937, le fera traiter de « fossile » par les clubs fascistes aussi bien que par les cellules marxistes.

Très jeune, Benda conçut du respect pour la métaphysique, pour l'ordre et pour ceux qui cherchent à mettre de l'ordre. Un jour, à déjeuner, on parlait de Spinoza, et nous dit-il, son père en vint à dire que Spinoza était un philosophe qui avait vécu tout seul et avait « mis sa religion sous forme d'une suite de propositions logiquement enchaînées comme un traité d'algèbre. Sans que je susse pourquoi, je fus frappé d'admiration pour le genre de travail qu'on venait de m'évoquer, et je comprends aujourd'hui que le petit garçon qui continuait, le nez dans son assiette, de penser à l'étrange solitaire pendant que les autres parlaient maintenant d'autre chose, ait écrit le *Discours cohérent.* »

L'enfant fut privilégié de trouver chez ses parents — qu'il respectait et estimait — des principes moraux très élevés qu'il ne mit jamais en doute. L'écrivain y voit la source d'une « paix morale qui m'a mis en désaccord avec un temps dont la caractéristique est éminemment l'inquiétude ». Benda devait toujours conserver « une adhésion sereine à ces principes et une profonde paix morale ».

A neuf ans, le jeune garçon entra au Lycée Charlemagne. Il arrivait dans cet établissement à huit heures du matin, le quittait à six heures et demie du soir, et ne manqua pas d'y subir une influence considérable :

« C'est dans les bois de Combourg, » écrit Chateaubriand, « que je suis devenu ce que je suis. » C'est sur les bancs du lycée que se formèrent ou du moins que prirent corps les principales mœurs mentales, les principaux jugements de valeur de Julien Benda. C'était un bon élève. Tout de suite, il eut le respect de l'étude et de l'homme qui, silencieusement assis devant une table, lit, s'instruit, écrit et prend des notes. A Charlemagne, il prenait le parti des maîtres contre celui des fortes têtes. Plus tard, il se refusera à dénigrer la science et même l'érudition, comme il est souvent de mode parmi les philosophes :

« Les sorties de Nietzsche et autres romantiques contre le professeur de tibétain ne m'ont pas touché. Je garde une grande considération à l'érudit qui, s'il n'est que le valet de la grande intelligence synthétique, me semble une forme d'humanité meilleure et plus évoluée que le littérateur dont le propre est de se repaître de périodes agréables et d'affirmations creuses. »

Benda avait, dès l'époque du lycée, horreur des « chahuteurs ». Sans doute faut-il voir là sinon la base, du moins l'une des sources de son hostilité à des mouvements tels que l'*Action Française* (le « parti des rouspéteurs »), à des écrivains d'humeur et de combat tels que Léon Daudet, — condisciple de Benda en Sixième au Lycée Charlemagne,—qui, en littérature et en philosophie, comme en politique, sont des « chahuteurs ». Il ne faut pas oublier, non plus, l'origine israëlite de Benda. « Est-ce parce que nous nous sentons les plus faibles, » écrit notre philosophe, « et avons besoin de protection, nous respectons les règlements. *Nous ne rossons jamais le commissaire.* Par quoi nous sommes antipathiques à toute une race de Français, dont c'est l'orgueil. »

Les professeurs de Charlemagne n'étaient pas gens qui roulaient sur l'or. Ils avaient « de gros souliers ferrés, des jaquettes démodées et luisantes, et une (profonde) ignorance du Tout-Paris ». Le jeune garçon ne les en estimait pas moins ; au contraire, il les estimait pour cela. Il admirait et ne devait jamais cesser de respecter les intellectuels désintéressés, les hommes de l'esprit qui acceptent de faire peu de figure dans le monde et de mener une vie matérielle inéluctablement modeste.

L'éducation du lycée, par ailleurs, façonna son esprit par plusieurs voies. D'abord par le latin. Il y « mordit » tout de suite, avec la plus extrême ferveur. « Tout m'y plaisait, » écrit-il, « les désinences casuelles, l'ablatif absolu, la proposition infinitive, les gérondifs, voire l'inversion du complément mis avant le verbe qui, si elle choquait les mœurs de ma langue, produisait des effets que je goûtais fortement. » La discipline du latin ne fait de mal à personne. Elle ne peut que faire fructifier un esprit disposé par ailleurs à penser clairement. C'est à cette discipline que l'on doit, sans aucun doute, le style du philosophe, son goût pour la pensée qui ne retient que l'essentiel et l'enferme dans un très petit nombre de mots, voire de syllabes, son attrait pour les successions de phrases bien serrées l'une à l'autre où chacune s'attache à la précédente, d'une manière rigoureusement étanche, qui ne laisse rien passer d'inutile, comme une série de pièces d'horlogerie où rien ne danse, où il n'y a pas de jeu dans les jointures. » Ce « culte de la phrase bien construite, cet amour pour une certaine forme militaire de la pensée et de l'écriture », est un trait par lequel Benda s'oppose tout à fait à un temps qui, de moins en moins élevé par les Latins, a aimé un style plus libéral et s'est trouvé souvent plus sensible à l'agrément des idées qu'on lui offrait qu'à la manière dont on les conduisait.

Naturellement, ces traits fondamentaux de l'esprit et du style de Benda se seraient peut-être déclarés sans le latin ; et peut-être aussi, avec une autre éducation, un écrivain et un penseur identiques se fussent-ils graduellement formés. Du moins est-il probable que cette éducation et cet enseignement ont, sinon créé les dispositions, du moins précipité la formation des traits en question.

La pratique, au lycée, de la composition française, contribua également pour une large part à la formation de notre clerc. Lorsqu'on lit ses livres et qu'on étudie leur style et leur composition, on constate une parfaite application des bons principes enseignés par les maîtres de composition française de l'époque : le plan, les divisions, l'idée générale, la conclusion, tout y est. Dans la *Trahison des Clercs,* par exemple, on peut voir, en marge de chaque paragraphe, puis à la fin du volume, les propositions essentielles, merveilleusement simplifiées et ordonnancées. Pour la clarté et la rigueur, il n'y a pas meilleur écrivain.

Benda pense qu'il aurait retrouvé de lui-même la Méthode Eternelle (en fait la méthode des Jésuites, transmise par eux aux Lycées et aux Universités du monde entier), même si les Lycées et les Jésuites n'avaient jamais existé. « Mais, » ajoute-t-il, « je l'eusse trouvée *sans savoir qu'elle avait pour elle l'autorité d'une tradition* et qu'en la cultivant, j'obéissais à un mouvement dont les hommes avaient depuis des siècles éprouvé la valeur et l'avaient sanctionnée. Et c'est peut-être là le grand service que peut nous rendre l'éducation. Elle nous permet, si un jour nous découvrons au fond de nous-mêmes des tendances identiques à celles qu'on nous prônait, d'être assurés, sans perdre de temps à discuter, qu'elles sont de quelque prix et que nous ne cédons point en les suivant à une bizarrerie personnelle. »

Benda poussera, dans ses livres, la composition française jusque dans son essence et sa quintessence. Comprenant, par exemple, que la définition initiale de son sujet, en même temps qu'elle devait être courte, devait être d'un potentiel tellement riche que toutes les pièces de l'œuvre n'en fussent que des dépendances, il l'a souvent cherchée très longtemps. La première phrase de son *Belphégor* — citée plus loin — lui a demandé des années.

Voici encore, dans l'enseignement du Lycée, un trait important pour la formation du clerc : le culte quasi-exclusif qu'on apprenait du temps de Benda pour la civilisation gréco-romaine et pour la civilisation française en tant qu'elle en est l'héritière. Il n'y avait pas, à proprement parler, de chauvinisme dans les leçons des éducateurs, il n'y avait chez eux aucun mépris des âmes étrangères. Mais il était impliqué dans leur verbe comme une chose d'évidence. Dans les petites classes, on ne parlait que du monde gréco-romain. En fait de formes politiques, ces enfants vivaient pendant trois ou quatre ans, uniquement, avec le consul, le questeur, le censeur, le maître de cavalerie, le tribun, le Sénat, et « le ton de nos maîtres montrait clairement que pour eux, c'étaient des formes sacrées, dont on ne pouvait pas discuter la grandeur. J'oserais presque dire qu'en leur inconscient nos braves professeurs de Sixième tenaient Louis XIV, Napoléon, voire les chefs de la Troisième République (en dépit de leur manque de majesté et de leurs redingotes certes moins harmonieuses que la toge) pour les successeurs des consuls romains et que les nations, fût-ce les plus hautes, qui ne descendaient pas des inventeurs de ces fonctions en gardaient un relent de barbarie. »

En ce qui concerne la littérature, on n'entretenait guère les enfants que de celle des Grecs, des Latins et des Français. « Point certes de mépris pour Dante, Shakespeare ou Goethe, mais du protectorat. La littérature française était tabou. Elle n'avait pas une faille. On blâmait Rousseau qui s'était permis de critiquer le *Misanthrope*, Lamartine qui s'était permis de fustiger La Fontaine, Boileau était absous pour avoir tancé le Moyen-Age ; c'est que le Moyen-Age n'était pas gréco-romain... Tel était l'évangile. »

Toute sa vie durant, Benda persistera à aimer les formes intellectuelles gréco-romaines, parce qu'elles répondent mieux à ses dispositions profondes. Ce n'est pas faute de connaître les autres littératures. Mais que valent les autres pour un rationaliste conscient ? La littérature anglaise ? « un génie de luxuriance » qui frustre ses « goûts les plus ancrés » ; les Allemands ? « des thèses souvent suggestives mais toujours dénuées d'ordre, fastidieuses, dépourvues de toute vertu persuasive » ; les Nordiques, les Slaves, les Asiatiques ? non, non, non ; la littérature communiste ? encore non, car l'activité *intellectuelle* doit passer avant l'activité sociale, politique, ou économique. Notre philosophe est un *occidental* avant tout. Avec Anatole France, Julien Benda se déclare pour « cette tradition grecque et latine hors de laquelle il n'est qu'erreur et trouble ».

Dans son *Discours à la Nation Européenne,* notre philosophe affirme que l'esprit latin n'a pas à prétendre aux étonnantes profondeurs créatrices des Shakespeare et des Wagner, mais que sa haute valeur morale et civilisatrice réside en ce qu'il incarne l'esprit apollinien, en ce qu'il a de purement compréhensif, de purement ordonnateur, et de *non acquisitif,* de *non inventif.* Il fait ainsi une apologie de cet esprit que ses éducateurs lui ont enseigné sinon directement, du moins par la tendance générale de leur enseignement.

Benda aimera toujours à lire et relire les anciens de préférence aux modernes. Il ne nous cache pas le mépris qu'il éprouve à l'égard de ceux de ses confrères sur les rayons desquels on ne voit que littérature contemporaine, « l'antiquité n'y faisant figure que par quelques récentes éditions de luxe dont ils n'ont pas coupé les pages ».

Voici encore deux traits où Benda voit une influence de l'enseignement du lycée. L'un est le caractère anti-pratique de ce système, l'autre son caractère anti-expérimental. Anti-pratique ? Platon, Sénèque, ne le sont-ils pas ? « Dès que la science devient utilitaire, » dit Platon, « elle se dégrade. » Et Sénèque, héritier de cette conception, affirme que la philosophie n'a pas pour fonction d'enseigner aux hommes à se servir de leurs mains : son but est de former les âmes.

Les professeurs du jeune Benda avaient pour la plupart une attitude de mandarins, dépourvus de considération pour tout ce qui n'était pas étude ou hommes d'étude. Benda nous dit qu'il est resté « terriblement fidèle » à cette attitude de mandarin et qu'il lui « faut toujours faire effort pour se représenter que le peuple existe et qu'on doit compter avec lui ». Anti-expérimentaux, d'autre part, les successeurs des éducateurs jésuites habituaient leurs élèves à aborder les sujets, tous les sujets, avec des *idées générales.* Il y avait, pour eux, des axes éternels, — Rome, la Grèce, l'idéalisme platonicien, le christianisme, l'Eglise, la Monarchie, etc., — et ils considéraient les choses, quelles qu'elles fussent, par rapport à ces axes.

On retrouve cette forme d'esprit dans le Benda qui écrit que l'Europe ne pourra se sauver qu'en revenant aux idéaux gréco-latins et chrétiens, sans se soucier un instant de chercher ce qu'est présentement l'Europe. Benda est absolument d'accord avec Montaigne lorsque celui-ci proclame : « Quand la raison nous faut, nous employons l'expérience, *qui est un moyen plus faible et plus vil.* » Il est absolument en désaccord avec les moralistes et politiciens « expérimentaux » dont les doctrines « ne sont, comme ils le savent bien, que des constructions logiques édifiées sur des préférences. »

Les universitaires que connut le jeune Benda étaient de véritables « clercs », fidèles à leur apostolat laïc. Ils parlaient à leurs élèves de la toge, et beaucoup moins de l'épée. Ils ne faisaient d'ailleurs que rester fidèles à l'enseignement séculaire de leur corps ; « les Gerson et les Pierre d'Ailly, en bonnet carré dans leur chaire du quartier Maubert, entretenaient leurs audiences de Virgile et du Digeste beaucoup plus que d'Epaminondas et de Marius... La race de clercs à la Barrès qui enseignent qu'on doit toujours donner raison à sa patrie même quand on est persuadé qu'elle a tort, ne fleurissait pas encore sous le ciel cartésien. » Des gens comme Pécaut et Renouvier — des universitaires protestants — étaient alors très puissants sur toute une jeune université de l'époque et abaissaient résolument la morale guerrière devant les vertus civiles. Benda devait résolument reprendre le flambeau et se faire, à mainte occasion, le défenseur de ces valeurs intellectuelles éternelles qui, sans aucun doute, doivent plus à Minerve qu'à Mars.

Le jeune Benda n'était pas aussi brillant que son condisciple Léon Daudet, aussi héroïque que son contemporain Péguy, deux Français de pur terroir. Il manquait, sans aucun doute, de certaines vertus qui font les grands hommes, mais il était intelligent et aimait l'intelligence et la raison. Déjà, en septième, âgé de dix ans, il pensait que les grands exemplaires humains sont ceux qui savent trouver leur joie, selon le mot de l'un d'entre eux, à rester tranquilles dans une chambre, avec une plume et du papier.

« J'ai beau avoir vu défiler les Joffre, les Foch, les Clemenceau qui ont sauvé une civilisation, » écrira plus tard Benda, « j'ai beau être le contemporain des Lénine, des Mussolini, des Hitler, qui changeront peut-être la face du globe, il me suffit de lever le nez au-dessus de ma table et de revoir mon Erasme tracer des lignes sur une feuille blanche pour le trouver plus grand que tous ces hommes d'action, et ajouter, au fond de mon cœur, que c'est lui le maître de l'univers, en ce sens qu'il lui échappe. Mais là je découvre une chose où je reviendrai souvent : combien la vue du monde et de ses drames a peu mordu sur moi et que je me retrouve au terme de ma course avec exactement les mêmes valeurs qu'à l'aube de ma pensée. »

Cette confession pourrait être considérée, chez d'autres, comme un aveu d'étroitesse d'esprit, d'obstination bornée. Mais les bornes que se propose Benda, si étroites qu'elles puissent paraître aux novateurs et réformistes de toute école, étaient les bornes de l'intelligence et de la raison qui, pour lui, demeurent d'indiscutables valeurs éternelles.

Toute éducation a une fin. Un beau jour, le jeune clerc sort du Lycée, muni d'un solide bagage littéraire et scientifique. Il se présente au concours d'entrée à l'Ecole Polytechnique, mais échoue à l'oral : il était trop fort en mathématiques pures ! L'Ecole Centrale des Arts et Manufactures, où il est reçu, le dégoûte des sciences moins pures que pratiques. Par la suite, il fera une licence ès lettres et songera à la carrière et aux travaux d'érudit. Mais il ne peut se décider à entrer dans l'authentique cléricature. « Peut-être, » avoue-t-il, « y avait-il dans un travail de ce genre un désintéressement absolu dont je n'étais pas capable. »

En tout cas, Benda fera une carrière, — une belle et longue carrière, — sinon dans la cléricature, du moins dans le monde et dans les lettres.

En 1898, il débute à la *Revue Blanche* par des commentaires philosophiques sur l'affaire Dreyfus. Quelques années plus tard, il donne aux *Cahiers de la Quinzaine* de Charles Péguy plusieurs ouvrages importants : en 1907, une *Préface* à l'opuscule de Georges Sorel sur les *Préoccupations métaphysiques des physiciens modernes* ; en 1910, *Mon Premier Testament* ; en 1911, *Dialogue d'Eleuthère* ; en 1912, *L'Ordination* ; la même année, *Le Bergsonisme ou Une Philo-*

sophie de la Mobilité, bientôt suivi de *Sur le Succès du Bergsonisme* (1914).

Pendant la guerre, il publie de nouveau, cette fois dans le *Figaro,* des commentaires philosophiques sur les événements du jour.

Après la guerre, il donne *Les Sentiments de Critias* (1917), *Le Bouquet de Glycère* (1918), *Belphégor* (1919), *Les Amorandes* (1922), *La Croix de Roses* (1923), *Les Lettres à Mélisande* (1924). En 1927, *La Trahison des Clercs* soulève des discussions passionnées et fait de Benda, pour un bref moment, l'« homme du jour ». Par la suite, Benda continue à donner de nombreux articles au *Mercure de France,* à la *Revue Hebdomadaire* et surtout à la *Nouvelle Revue Française.* En 1936 et 1937, il vient faire une tournée de conférences aux Etats-Unis. Les auditoires américains accueillirent avec une surprise mêlée d'effroi ce vieillard chenu, alerte, passionné d'idées, farouchement indépendant, qui leur jetait à la tête des vérités un peu obscures et souvent déconcertantes.

L'auteur d'*Un Régulier dans le Siècle* a raconté, dans son second livre de souvenirs, comment, malgré ses dons de *clerc,* il avait réussi dans le monde séculier. Sa carrière semble avoir été favorisée par les dieux, tout au moins jusqu'à la veille de la Seconde Guerre Mondiale. Ruiné, il a été nourri par la société, et celle-ci n'a même pas exigé qu'il abdiquât son indépendance. Cet homme aimable, causeur brillant et spirituel, anecdotier épigrammatique, a été applaudi dans les salons et cercles littéraires les plus *parisiens* et jusque dans les réunions populaires. Il était peiné, d'ailleurs, d'être loué pour ce qu'il ne voulait pas être. Il souffrait et parfois enrageait de voir que ce que le siècle goûtait dans ses livres était surtout ce qui n'était point strictement intellectuel.

* * *

Benda est, avant tout, un intellectuel. La raison, l'intelligence, sont prépondérantes chez lui. Il n'adore, au fond, que la déesse Raison. Il méprise les gens qui ne raisonnent pas, d'où qu'ils viennent.

Il est servi par d'indéniables dons naturels. Sa curiosité d'esprit est infinie, son intelligence pénétrante et lucide. Il sait analyser les nuances les plus fines de la littérature, de la peinture et de la musique. Il est adroit, astucieux, finassier. Il a un remarquable sens de l'ironie et ses dissertations les plus austères et les plus dogmatiques sont souvent illuminées de sourires narquois et de pointes incisives. Il excelle à trouver des formules paradoxales, des *traits* acérés et justes. Ainsi (nous citons au hasard) :

« Ils confondent être artiste avec être un artiste. Ce qui en est juste le contraire. Fromentin était beaucoup plus artiste que Goya, Reynaldo Hahn que Berlioz. » [1]

Il est courageux, mais l'héroïsme lui semble la vanité suprême. Intellectuel jusqu'à l'inhumain, Benda se défie du cœur. C'est Valéry, c'est *Monsieur Teste* avant la critique de soi-même. Comme Spinoza, il a vécu tout seul. Il a eu des aventures et des succès indiscutables, mais aucune passion durable. Dans sa *Jeunesse d'un Clerc,* il nous confie qu'il n'a jamais fait d'avances à une femme : ce sont elles au contraire qui lui en ont fait.

La mère du jeune Benda déclara un jour : « Julien est très méchant. » Il y aurait quelque exagération à tirer de ce mot les mêmes conséquences féroces que les ennemis de Benda. On ne saurait nier cependant que l'homme soit assez égoïste et même qu'il ait été frappé très tôt d'une certaine infirmité du cœur. Il est permis de se demander si le critique André Rousseaux n'a pas raison de l'appeler « l'homme sans cœur ». En fait, Benda n'écrit-il pas lui-même dans *La Jeunesse d'un Clerc* : « Ce n'est pas de la vie du cœur que j'attends la réalisation de mon être, le contentement de ma foi profonde. Je m'attachai à la raison dans ce qu'elle a d'inhumain » ?

L'œuvre de Benda tout entière sera dirigée contre le sentiment.

* * *

L'Ordination (1912), le premier et le meilleur roman

1. *Délice d'Eleuthère,* p. 141.

de Benda, est une illustration de sa thèse favorite d'après laquelle le sentiment détruit l'intelligence.

Félix, le héros, a voulu faire l'expérience du sentiment. Madeleine, une jeune femme malheureuse et un peu sotte, lui fait découvrir, en même temps que l'amour, « le charme de la compatissance ». Il la console d'une vie terne et d'un mari déplaisant. Il veille au chevet du fils de Madeleine, avec celle-ci ; avec elle, il s'enferme à la campagne tout un été, renonçant à tout luxe, à toute société, à toute activité intellectuelle. Le monde entier semble s'abolir autour des amants.

Mais un matin, en s'éveillant, Félix sent qu'il n'est plus heureux. Il est envahi par un sentiment de malaise et de lassitude. « Tout à coup foudroyante, l'idée de sa liaison l'étrangla d'une véritable angoisse, comme l'idée d'un emprisonnement total et éternel. A partir de ce jour l'idée de prison ne le quitta plus. »

La pitié le retient encore auprès de la jeune femme. Elle remplace l'amour, avec une tyrannie accrue : « Il voyait l'amaigrissement de Madeleine, sa pâleur grandissante, sa pauvre face creusée, diminuée, exténuée. Et ces images, qui eussent détaché un cœur fort, jaloux de rester fort, attachaient celui-là par l'horrible besoin qu'il avait de s'affaiblir. »

Madeleine, qui sent son bonheur lui échapper, essaie de distraire son grand homme. Elle imite l'intellectuel, lit, fait part à Félix de ses lectures, suit des cours, visite des musées. En vain. « Il en venait à détester la femme avec son cerveau d'enfant, avec ses désirs d'enfant, et comme elle vous entraîne dans son régime d'enfant. » Il finit par rompre, après une période de crise aiguë, d'angoisses, de reprises et de reculs.

De nouveau, Félix se livre au travail et aux exercices de la pensée. Mais l'ennemi le guette : le cœur va de nouveau le livrer aux entreprises des femmes. Il succombera aux « puissances de faiblesse et de fatalité ».

Dans la seconde partie de *L'Ordination,* Félix est marié. Il est père d'une charmante fillette, qui le distrait par ses jeux et le délasse sans l'accaparer. La femme qu'il a épousée est conforme à ses goûts : silencieuse, musicienne, intelligente mais non intellectuelle. Elle respecte son travail, ses retraites spirituelles, sa tour d'ivoire.

Mais l'enfant tombe malade. Il faut l'emmener à Berck où elle sera allongée, murée dans une armure de plâtre. La compassion prend sa revanche dans le cœur torturé de Félix. Il souffre dans la chair de son enfant. Il lui faut vivre de pitié avec d'autres parents d'enfants malades qui ne vivent que d'amour et de pitié.

Un soir, sa femme le trouve accablé de douleur dans son cabinet de travail. Elle le console et s'empare définitivement de son cœur et de son esprit. C'est le triomphe de la femme et du sentiment. Félix, tout en s'abandonnant, soupçonne vaguement sa femme de se réjouir du malheur de l'enfant qui lui a permis de vaincre.

Le héros cède, désormais, à la vie, au devoir humain, au bonheur et à l'inquiétude de chaque jour. C'est ce que Benda appelle sa « chute » — titre de la seconde partie de l'ouvrage. Félix devient « tout amour, délaisse toute pensée, toute action de l'esprit » et cela lui arrache de grands cris de douleur :

« Vous grands penseurs, et vous surtout grands moines, je n'ai pas pu être des vôtres. J'ai sombré dans la chair, j'ai aimé mon enfant comme les êtres qui rampent. Et maintenant c'est fini. Ma religion pour vous elle-même m'abandonnera. Demain je ne serai plus qu'une chose qui aime. »

L'Ordination est un beau roman, fidèle au meilleur de la tradition classique. Sans doute n'est-ce l'histoire que d'un tout petit nombre d'hommes, « de ceux qui ont rêvé d'être de pures intelligences, de ne laisser troubler leur raison, dans son effort vers la vérité, par aucune de ces émotions poignantes qui détournent ceux qui aiment de la sérénité du penseur ». Mais l'intérêt humain du roman est universel car c'est « dans tous les temps, dans tous les pays que des penseurs ont pu avoir à choisir entre la sérénité glacée de la spéculation et les fièvres de la vie ». [1]

1. D. Mornet, *Introduction à l'Etude des Ecrivains Français d'Aujourd'hui*, p. 25.

* * *

Le second roman de Benda, *Les Amorandes* (1922) présente un autre aspect du combat entre le cœur et la volonté. Cette fois, il s'agit aussi de l'individu en face de la société.

Etienne, le héros, est un jeune homme tiraillé entre plusieurs formes de sensibilité. Il devient amoureux d'Irène, une femme beaucoup plus âgée que lui, à qui il trouve des attraits à la fois charnels et spirituels. « Je comprends, » lui dit-il, « ma passion à t'étreindre : c'est la passion de la créature d'un jour à jouir du principe éternel et aimant d'où elle descend et qui l'enveloppe. » La maturité de pensée et l'expérience d'Irène le guident. Chaque jour, elle joue pour lui et chante du Schumann. Mais ce climat bienheureux et irréel est bientôt détruit par la vie. Irène, clairvoyante, comprend les périls de la situation. Elle renonce au jeune homme et cherche l'apaisement dans l'affection solide d'un homme mûr.

Etienne désespéré se révolte d'abord contre cette conspiration qui le rejette dans une vie étroite et triste. Il se résout à épouser sa cousine Geneviève, une gentille jeune femme qui l'aime ; mais il gardera longtemps la nostalgie intellectuelle et sensuelle de son bonheur passé. S'il se rend à l'Opéra, la vue d'une actrice aux gestes aisés lui rappelle la grâce d'Irène et le plonge dans des souvenirs douloureux. Constamment son mal revient, par « un rythme insaisissable ».

Cependant, devant le chagrin de Geneviève et par un sursaut de volonté, Etienne décide de brûler tous les souvenirs du passé et de se consacrer à sa femme, à sa famille, à son devoir. La vie, alors, par une sorte de triomphe amer, fait de volonté, de respect des traditions, le façonne de nouveau et lui apporte l'oubli. Il finit par s'attacher au présent, au mariage, « la pierre angulaire de l'édifice social ». Bientôt, il pense avec affection à sa jeune femme qui est sur le point de devenir mère :

« C'est d'un lien puissant qu'il s'attachait à elle, en la sentant consubstantielle à des formes sociales qu'il vénérait du plus lointain de sa race. »

Il conquiert ainsi la sérénité, ne songeant plus qu'à l'enfant qui va venir et qui le repousse déjà dans le passé, lui et le « drame de sa jeunesse ».

* * *

La femme a été l'instrument de la « chute » des héros de *L'Ordination* et des *Amorandes*. Benda qui, dans les salons, a su charmer tant de *Mélisandes,* est profondément hostile à leur influence, à leur rôle dans la société. Il les accusera à maintes reprises, tout au long de son œuvre, de raisonner peu ou mal, et leur reprochera d'avoir rabaissé l'intelligence, le niveau intellectuel et les idéaux abstraits de la Société.

Comme on peut s'y attendre, Benda méprise l'amour, délices des sens aussi bien que délice du cœur. L'homme « libre » des *Dialogues* et de *Délice d'Eleuthère* « hait que l'espèce humaine ne puisse se prolonger que par une passion des sens. Rien n'excipe mieux de sa chute. Il aime quand il retrouve au fond de son cœur ce mépris de l'acte de vie, quand il sent son union avec ces grands chrétiens que l'Eglise faisait brûler en les appelant les Purs. » [1]

L'absence de cœur est une garantie pour l'activité de la raison pure. Le véritable *clerc* subordonne toute sa vie à l'exercice de son intellect.

D'où les critiques de Benda contre Pascal et, surtout, sa querelle avec Bergson. Benda est sensible à la grandeur d'un Pascal, mais foncièrement hostile à « la forme profondément irrationnelle de ce grand esprit : aversion de la clarté, primat donné aux arguments du cœur, culte de la chose qui *se sent,* mépris de celle qui *s'explique,* adoration de l'idée de miracle, exaltation du contradictoire, du mystérieux, de l'incompréhensible. Il est le père évident, d'ailleurs hautement reconnu, de notre littérature de ce dernier demi-siècle en sa religion du trouble et sa levée de boucliers contre le clair et distinct ».

Mais c'est surtout à Bergson et au bergsonisme qu'en a Benda. Contre Bergson, Benda publie, à la veille de la

1. *Délice d'Eleuthère* (1935), p. 113.

guerre, deux volumes intitulés *Le Bergsonisme ou une Philosophie de la Mobilité* et *Sur le Succès du Bergsonisme.* C'est le début d'une longue offensive qui se poursuivra tout au long de l'œuvre de Benda.

Pour Benda, l'ordre naturel dans l'acquisition de la connaissance implique « une préhension objective et scientifique des faits donnés par la nature ». Il implique un travail de l'intelligence. Autrement dit, on ne peut pas philosopher sans expliquer, analyser, décomposer, — donc sans renoncer à l'unité et à la continuité des choses vivantes. L'ordre de la vie est séparé de celui de l'intelligence, le domaine de Belphégor de celui de Minerve.

Or le bergsonisme veut le contact direct avec la vie ; donc, pense Benda, il part de la sensation et suggère implicitement de « se noyer dans la sensation ». Il reproche à toute classification de « figer », de « glacer » la vie réelle. Benda critique avec force cette conception du « contact direct » qui engendre non des pensées, mais des états d'âme.

Descartes disait : « Je pense, donc je suis. » Benda résume le bergsonisme en cette formule : « Je pense, donc je ne suis pas. » Ou encore : « Je m'accrois, donc je suis. » Il reproche au bergsonisme d'aboutir à un pragmatisme qui « assure à l'homme qu'il est grand dans la mesure où il est pratique ». [1]

Dans *Belphégor,* dans *La Trahison des Clercs,* Benda s'est attaqué avec passion à la société et à la littérature de son temps, « belphégorienne » dans la mesure où elles étaient influencées par les femmes, par l'esprit féminin, par le bergsonisme et les philosophies de la « vie » et du « sentiment ».

La première phrase de *Belphégor* résume admirablement la thèse de l'auteur :

« Il nous semble que l'esthétique de la présente société française — plus précisément sa volonté esthétique — peut s'exprimer d'un mot :

« *La présente société française demande aux œuvres d'art qu'elles lui fassent éprouver des émotions et des sen-*

---

1. *La Trahison des Clercs*, p. 185.

sations ; elle entend ne plus connaître par elles aucune espèce de plaisir intellectuel. »

Le début du XXe siècle s'est insurgé contre les « notions universelles », au « signal donné par les philosophes ». Et par « philosophes », il faut entendre Bergson et les bergsonisants :

« On connaît l'adoration (des modernes) pour cette philosophie qui veut que le phénomène psychologique ne soit déterminé ni par l'hérédité, ni par le milieu, ni par aucun élément extérieur à lui, mais uniquement par lui-même ; qui veut en particulier que l'œuvre d'art ou même de pensée spéculative ne dépende aucunement des conditions sociales et politiques parmi lesquelles elle naît, mais uniquement des personnalités qui surgissent à un moment donné ; qu'elle soit donc absolument imprévisible. »

La société française, dominée par cette conception émotive de l'art, est condamnée à un triste avenir :

« On entrevoit le jour où la bonne société française répudiera encore le peu qu'elle supporte aujourd'hui d'idées et d'organisation dans l'art, et ne se passionnera plus que pour des gestes de comédiens, pour des impressions de femmes ou d'enfants, pour des rugissements de lyriques, pour des extases de fanatiques. Toutes choses peu inquiétantes pour l'Etat, quoi qu'en disent certains grondeurs, si l'on songe combien cette anesthésie intellectuelle a peu empêché cette société (l'y a peut-être aidée) de remplir son devoir civique dans les circonstances que l'on sait, qu'une nation — contrairement aux clichés — peut fort bien prospérer en force et en richesse (témoin l'Empire romain) avec une classe dirigeante de plus en plus privée de toute tenue de l'esprit, qu'au surplus enfin, la dite société dépose de jour en jour davantage le pouvoir dirigeant au profit d'autres classes, non moins inintellectuelles d'ailleurs, encore que de toute autre façon. » [1]

Dans *La Trahison des Clercs,* Benda pousse un long cri d'horreur et de répulsion contre les modernes déifications du Temporel.

1. *Belphégor,* pp. 178-179.

Il regrette que parmi les guerres, les seules qui aient disparu soient celles où étaient mis en branle des mouvements désintéressés.

Il regrette de constater que l'humanité fait toujours le mal et n'honore même plus le bien. Ainsi « la fissure par où pouvait se glisser la civilisation » va en se comblant.

Il regrette « ces singuliers chrétiens » qui veulent, au besoin, voir en Jésus un professeur d'égoïsme national.

Il regrette que la « politique détermine la morale ».

Il ne cache pas son dégoût de cette humanité dont il perçoit la naissance possible où « la nation s'appellerait l'Homme et où l'ennemi s'appellerait Dieu ».

D'une façon générale, les *clercs*, c'est-à-dire les intellectuels, sont les grands responsables. Ils ont démérité de leurs fonctions propres dans la vie moderne. D'une part, ils ont soumis les droits imprescriptibles de l'Intelligence et de la Raison aux devoirs pressants qu'imposent la cité, la patrie, la classe sociale. D'autre part, et surtout, ils ont accepté de justifier par leurs écrits cette hiérarchie nouvelle des valeurs.

Benda condamne sans rémission Maurice Barrès. Celui-ci est, pour lui, situé à l'échelon le plus bas dans la hiérarchie des clercs, car il subordonne la justice au bien de son pays.

Benda attaque subtilement Péguy, qu'il estime contaminé par le bergsonisme, — surtout dans sa poésie et ses « balbutiements » d'états d'âme, — et qu'il range avec les clercs qui n'ont pas défendu la justice abstraite.

En quoi il a tort. Car Péguy, dans l'affaire Dreyfus, est bien le clerc qui, de même que Voltaire et Zola, a été un de ces « officiants de la justice abstraite » et ne s'est jamais souillé d'aucune passion pour un objet terrestre. Péguy n'a jamais eu la volonté « d'humilier les valeurs de connaissance devant les valeurs d'action ». Péguy se borne à abaisser les valeurs de connaissance devant Dieu. Et Benda, avec son Dieu-théorème, ne peut pas voir le Dieu de Péguy, le premier « clerc » qui ait trahi sans doute.

Benda attaque aussi Maurras, bien qu'entre Benda et Maurras, il y ait tant de traits communs. Tous deux n'étaient-ils pas les ennemis de la sentimentalité romantique et du belphégorisme ? Mais aux yeux de Benda, Maurras est un clerc qui a trahi, un clerc dont la conception de la cléricature n'est que politique, historique, traditionaliste.

A Maurras, pour qui les choses sont belles par la forme et le rythme qui leur donnent la continuité, Benda oppose Spinoza ; pour celui-ci, « la perfection des choses se doit mesurer d'après leur seule nature, et les choses ne sont pas plus ou moins parfaites parce qu'elles flattent nos sens ou qu'elles les blessent ». [1]

Lorsque Maurras dit qu'il n'y a pas de différence entre « la vérité qu'on nomme française et celle qu'on pourrait appeler humaine », cela ne signifie pas que tout ce qui est fait par un Français est beau. Benda n'a pas vu — ou n'a pas voulu voir — la pensée réelle de Maurras : à savoir que les intérêts du genre humain et de la civilisation sont naturellement unis aux intérêts bien compris de la France.

Mais Benda est un orthodoxe de la Raison et n'admet, comme de juste, que sa propre orthodoxie : toutes les autres lui apparaissent comme nécessairement fausses.

Benda reproche aussi aux Gide, aux Valéry, à tous ceux « qui se plaisent dans l'incertain », d'avoir redouté toute affirmation, toute vue ferme sur les choses :

« La critique du XIXe siècle leur a fait tout connaître, tout comprendre ; toutes les morales, toutes les philosophies, toutes les espérances successives de l'art, de la politique, de la science. C'était dur de s'élever au-dessus de tant de jouissances au nom d'une froide raison, de les classer, d'en laisser. Autrement dur que pour un Erasme ou un Dante, auxquels leur temps ne proposait pas le divers. Ils n'ont pas eu ce courage. Ils se sont laissé posséder par ces richesses, au lieu de les posséder. Ils ont perdu le jugement sous tant d'idées, sous tant de savoir.

« Ils n'ont pas eu assez de moralité pour porter le poids de leur culture. » [2]

Au belphégorisme s'oppose le classicisme. Et la conception du classicisme que développe Benda pourrait se résumer

---

1. Cf. *La Trahison des Clercs*, p. 300.
2. *Délice d'Eleuthère*, p. 141.

ainsi : éloignement du particulier, de l'accidentel ; horreur du lyrisme personnel ; recherche de l'universel et de l'éternel.

* * *

On peut se demander quelle est la place de Dieu dans une telle philosophie. Benda nous fournit la réponse dans son *Essai d'un Discours cohérent sur les Rapports de Dieu et du Monde.*

L'Essai est une des clefs de voûte de l'œuvre de Benda. Il nous a dit lui-même, en 1937, lors de son séjour en Amérique, que c'était un de ses écrits essentiels.

Pour Benda, Dieu est le contraire de l'existence, l'opposé de la matière. C'est une perfection immobile, immuable, qui n'a aucun rapport avec la contingence, avec la confusion brute.

Le retour du monde phénoménal à Dieu — sa moralité, sa piété — ne peut se réaliser que par l'intelligence. « Il consiste, pour le monde (et donc pour l'Homme, instrument ici du monde), dans une certaine manière de *se penser,* non pas dans une certaine manière de *vivre,* vivre étant toujours une affirmation de l'être en tant que phénoménal, c'est-à-dire une séparation d'avec Dieu. » [1]

Le retour à Dieu exige, de la part du monde, une rupture totale avec le monde phénoménal. Il y a de « faux retours à Dieu ». Ce sont ceux par lesquels l'individu se nie au profit de certains groupes, dont les principaux sont la famille et la nation :

« Qu'est-ce que l'orgueil dont se privent Durand ou Dupont en niant leur personnalité, auprès de celui qu'ils récoltent en la reportant dans « la France » ! » Au reste, l'individu ne conteste pas toujours que ces renoncements ne soient que d'autres formes de l'égoïsme phénoménal ; il les appelle seulement de l'égoïsme *sacré.* » [2]

L'humanitarisme ne ramène pas davantage à Dieu : « Cet « amour humain », cette « charité », cet « humanitarisme » n'est rien autre que cet *égoïsme de l'espèce* par quoi toute

1. *Essai d'un Discours cohérent,* pp. 150-151.
2. *Idem,* pp. 162-163.

espèce animale assure son existence en tant qu'espèce. »[1] De même le « dévouement » ou « l'énergie » n'ont rien du retour à Dieu.

Le rôle des « clercs » est de déclarer sous quelque forme : « Mon royaume n'est pas de ce monde. »

* * *

La position politique de Benda a été souvent mal comprise. Lui-même, pendant longtemps, n'a rien fait pour la définir et s'est complu à planer au-dessus des méprisables contingences de l'action pratique et des biens « secondaires » de la cité.

D'aucuns l'ont classé à droite, d'autres le placent à l'extrême-gauche. Les uns et les autres ont eu leurs raisons pour agir ainsi. Pessimiste radical, Benda ne peut être rangé avec ceux qui croient dans la bonté originelle et dans le progrès humain. Mais, pendant l'affaire Dreyfus, il a été du même côté que le parti de la Justice et de la Vérité et il s'est élevé contre Barrès et Maurras parce que ceux-ci disaient que la Justice n'était pas une valeur abstraite. Pourtant, le goût de la cité ordonnée a pu lui faire considérer parfois les bienfaits d'une monarchie : un tel régime favoriserait une aristocratie intelligente, opposée à la vulgarité de l'aristocratie d'argent.

Benda a dénoncé les clercs « nationalistes ». Il a déclaré que la volonté des hommes à s'affirmer en nations ou en groupes de nations était un mal. Mais, solidement amarré au Spirituel, il admire aussi, lorsqu'il se place ensuite, par la pensée, dans le plan de cette volonté, ceux qui l'ont su réaliser. D'où son *Esquisse d'une Histoire des Français dans leur Volonté d'être une Nation.* Il s'y efforce de démontrer que « la formation des Français en nation est le résultat d'une *volonté,* et non d'une succession de phénomènes mécaniques ; d'une volonté *des Français,* et non pas uniquement de leurs chefs ; d'une volonté de la *France,* considérée comme transcendante aux Français ». Benda conclut que le seul danger pour la France serait la disparition, chez

1. *Idem,* pp. 164-165.

les Français, de la volonté d'être une nation. Ce danger réside dans l'âme : « On meurt parce qu'on veut bien. »

Benda a condamné, à côté des clercs « nationalistes », les clercs « internationalistes ». A côté de Maurras, Marx.

Benda estime que l'Europe ne se fera que si elle adopte un certain système de valeurs morales.

Les éducateurs européens doivent croire à une action morale, transcendante à l'économique : revenir de Marx à Platon.

Dans son *Essai d'un Discours cohérent,* Benda a condamné l'esprit monarchique avec « sa religion de l'arbitraire, de l'ordre, de l'inégal » et prôné l'esprit démocratique avec « sa volonté de justice totale, de proscription de l'irrationnel, de retour au non-différent (égalitarisme) ». Mais il ajoute immédiatement : « Bien entendu, je parle de l'esprit démocratique dans son principe, non dans ses réalisations, où, s'altérant constamment de l'esprit monarchique, comme tout ce qui veut vivre, il produit de très tangibles impérialismes. » [1]

La Grande Epreuve des Démocraties, écrite pendant la seconde guerre mondiale, présente une excellente analyse des principes démocratiques mais offre de la démocratie une vision assez théorique, froide et livresque : le manuel est admirablement bâti, mais les images manquent et l'on peut craindre — en fait il n'est pas douteux — que la vie elle-même en soit absente.

La première et la seconde partie de l'ouvrage étudient la nature des principes démocratiques : l'essentiel est le « respect de la personne humaine dans les rapports des citoyens entre eux, dans les rapports des citoyens avec l'Etat, dans les rapports de l'Etat avec les autres Etats ». Ces principes, d'origine socratique et chrétienne, sont fondamentalement adaptés à l'état de paix : « aucun n'est propre à justifier l'accroissement d'un groupe humain aux dépens d'un autre. »

L'auteur montre ensuite les démocraties à l'épreuve, du fait des abus de leurs principes mêmes : abus du principe

1. *Essai d'un Discours cohérent,* p. 176.

individualiste, abus de la souveraineté nationale, abus du principe égalitaire. Benda analyse les différentes formes d'opposition aux principes : au nom de l'esprit de conquête (anti-sémitisme), au nom de l'esprit sacerdotal (opposition à l'esprit d'examen), au nom de l'esprit de classe (le marxisme contre la démocratie), au nom de l'esprit artistique (la « démocratie propose des idées plus que des images »). Toutes ces attaques reposent sur une même base : le besoin de sensation qui, naturellement, est un des ennemis personnels du *clerc*.

Dans la cinquième partie, l'auteur dénonce les idées « introduites arbitrairement dans le concept de démocratie » ; faux libéralisme, faux pacifisme, faux universalisme, faux rationalisme. La démocratie, pas plus que les autres régimes, ne doit la liberté d'action à ceux qui ne travaillent qu'à la détruire. Elle ne doit pas pratiquer la paix *à tout prix*. Quiconque ne reconnaît pas les Droits de l'Homme ne saurait être regardé comme un homme, mais tenu en respect et mis hors d'état de nuire. Enfin la démocratie doit considérer les valeurs démocratiques comme hors de discussion.

* * *

Un jugement d'ensemble sur Benda est difficile à porter. Il y a plusieurs Benda — quelques-uns contradictoires, tout au moins en apparence — et tous ne sont pas également sympathiques.

Si éloigné qu'il eût été par ses parents d'un traditionalisme culturel, Benda a gardé quelque chose de son hérédité israëlite. Il évoque parfois les infinis commentaires des commentaires du Talmud et les discutailleries de la *Thora*. Il adore les discussions subtiles et, parfois, se perd dans ses subtilités. Il frôle dangereusement le byzantinisme et n'a rien à envier aux sophistes.

Son humanisme est large, sincère et parfois admirable. Mais on le souhaiterait moins décharné.

Ses attaques contre l'esprit féminin ne sont qu'en partie légitimes. On ne peut pas dire que la femme n'ait rien donné à la société et à la civilisation françaises contemporaines. Elle a au moins apporté cette souplesse, cette intelligence pratique, cette finesse qui nouent et dénouent les conversations. Elle a peut-être communiqué à la phrase cette inflexion humaine que l'homme ne trouve pas toujours quand il est seul. Médiatrices, les femmes « ont enseigné l'élégance de penser, restitué à l'intelligence sa vie et son rayonnement à travers l'Europe. »[1]

Benda a eu raison d'être sévère avec le « *bergsonisme* » de salon. Mais cette déification de la sensation, de l'indistinct, la vaine passion de la nouveauté ne se confond pas avec la véritable philosophie de Bergson. L'étude de celle-ci requiert l'application et la compétence d'esprits qui n'entrent pas, comme Benda, en transe au contact des notions.

Benda a tôt fait de confondre l'intuition bergsonienne avec le *sentiment* et de nous en présenter un aspect romantique, féminin, opposé à toute pensée. Il semble n'avoir pas toujours lu les textes avec attention ou avec objectivité. Il confond dans sa hâte l'intuition et l'action, ce qui est probablement le contraire de la véritable pensée bergsonienne. Bergson, en effet, attribue à l'intelligence l'action de l'esprit sur la matière et réserve à l'intuition le domaine de la connaissance *désintéressée*. Il est donc fort arbitraire de faire de lui un pragmatiste et de ne pas le distinguer de William James. Mieux que l'attitude de Benda, la philosophie bergsonienne satisfera toujours ceux qui se défient des positions extrêmes du rationalisme, ceux qui, par intuition, savent que le monde existe. Benda oublie l'existence du monde dans son système.

Benda a bien fait de rappeler les *clercs* au respect des valeurs universelles. Il leur a offert un idéal d'une grande élévation, proche de celui des Stoïciens. En tant qu'il s'attaque à la *logique* des partis, ou qu'il s'élève au-dessus d'elle, il a raison. Mais il a eu tort d'attaquer sans discrimination Maurras, Barrès, Psichari, Péguy. Celui-ci surtout à qui il devait tant. Péguy, condamnant cette attitude par avance, disait : « On ne fonde, on ne refonde aucune cul-

1. R. Lenoir, « Julien Benda et la Société Française » (dans *La Vie des Lettres*, décembre 1922).

ture sur la dérision et la dérision et le sarcasme et l'injure sont des barbaries. »[1]

De même, le réquisitoire contre Barrès est plus passionné que juste : la grandeur de l'homme, comme celle de Chateaubriand ou de Hugo, a débordé largement son activité politique.

Benda n'a sans doute pas compris le sens réel des grandes crises militaires. Certes les vertus dites guerrières ne sont pas suffisantes pour mener au Ciel. Mais, comme le répètent les *clercs* authentiques de l'Eglise, — ceux que Benda ne reconnaîtrait pas, d'ailleurs, les prétendant opportunistes — « si nous considérons combien la guerre bafoue nos appétits matériels, combien elle se moque de nos calculs et fait commettre les bévues les plus énormes aux gens les plus avisés dans le domaine du temporel, nous serons amenés à y trouver une moralité, car dans ce formidable bouleversement du temporel, le penseur voit bien que seule la vie de l'Esprit a de la valeur ; seules sont stables les données spirituelles ».

Enfin, les vues de Benda sur la démocratie ne sont pas moins discutables. *La Grande Epreuve des Démocraties* est une œuvre intelligente et souvent fort juste. Mais en un temps de crise comme celui que traverse le monde au moment où écrit Benda, on peut se demander si un tel ouvrage répond aux besoins et aux préoccupations des citoyens des pays démocratiques. Benda voudrait confier à une élite ascétique la direction de la démocratie idéale. Il est à craindre que les démocrates ne lui répondent que c'est le peuple, et non l'élite, même ascétique, qui a la vue la plus juste des choses et le patriotisme le plus sûr. Les clercs d'ailleurs ne pourraient avoir un sentiment très exact de ces « contingences » dont Benda déclare que « la fonction de l'idéaliste en ce monde est de les ignorer fanatiquement ». Et l'adhésion du cœur à certains principes n'a-t-elle pas une valeur de fait supérieure, dans certains cas tout au moins, à l'adhésion de l'esprit ?

* * *

1. *Notre Jeunesse*, p. 220.

Cependant, quiconque a le goût des idées lira Benda avec plaisir. D'aucuns, comme Paul Souday, l'ont fait avec passion. La langue de Benda, très pure, très précise, très française, est extrêmement satisfaisante pour les gens de goût : l'idéologue est aussi un artiste.

L'influence de Benda a été beaucoup moins grande qu'il ne l'aurait voulu, mais n'a pas laissé d'être substantielle. Ce ratiocinateur impénitent qui a voulu n'être qu'un « philosophe aux mains propres », ce grand solitaire s'est, comme Romain Rolland, comme André Suarès, battu tout seul pour défendre sa conception de la pensée. Contre les sophismes des intuitionnistes et des pragmatistes, il a, en frôlant parfois la sophistique, défendu avec acharnement, et non sans résultats, les droits imprescriptibles de l'Intelligence et de la Raison.

CHRONOLOGIE DE CHARLES MAURRAS[1]
(né en 1868)

1890 *Jean Moréas*
1891-1893 *Pour Psyché* (paru à la Revue Hebdomadaire ; en librairie, chez Champion, en 1912)
1894 *Le Chemin de Paradis* (Calmann-Lévy)
1898 *Trois Idées politiques* (Champion)
1900 *Enquête sur la Monarchie* (éd. définitive, Nouvelle Librairie nationale, 1916)
1901 *Anthinéa* (Champion)
1902 *Les Amants de Venise* (de Boccard)
1905 *L'Avenir de l'Intelligence*
1906 *Le Dilemme de Marc Sangnier*
1910 *Si le Coup de Force est possible*
1912 *La Politique religieuse*
1913 *L'Action Française et la Religion Catholique*
Kiel et Tanger (édition revue, Nouvelle Librairie nationale)
1915 *L'Etang de Berre* (Champion)
1916-1918 *Les Conditions de la Victoire* (4 volumes, Nouvelle Librairie nationale)
1916 *Quand les Français ne s'aimaient pas* (Nouvelle Librairie nationale)
1917 *La Part du Combattant* (Nouvelle Librairie nationale)
Le Pape, la Guerre et la Paix (Nouvelle Librairie nationale)
1918 *Athènes antique*
Les chefs socialistes pendant la Guerre (Nouvelle Librairie nationale)
1920 *Trois Aspects du président Wilson* (Nouvelle Librairie nationale)
1921 *Inscriptions* (Librairie de France)
La Démocratie religieuse (Nouvelle Librairie nationale)
Tombeaux (Nouvelle Librairie nationale)

1. On trouvera une bibliographie (incomplète) des œuvres de Maurras dans *Le Bulletin des Lettres* (Lyon, 1938 ; no 74, pp. 166-168).

1922 *Romantisme et Révolution* (Nouvelle Librairie nationale)
1923 *L'Allée des Philosophes* (Crès)
Le Mystère d'Ulysse (Nouvelle Revue Française)
1924 *Anatole France, politique et poète* (Plon)
1925 *La Musique intérieure* (Grasset)
Barbarie et Poésie (Champion)
1926 *La Sagesse de Mistral* (Editions du Cadran)
1927 *Lorsque Hugo eut cent ans* (M. Le Sage)
1928 *L'Anglais qui a connu la France* (Cahiers de Paris)
Le Mauvais Traité (Editions du Capitole)
1929 *Un Débat sur le Romantisme* (en collaboration avec Raymond de la Tailhède)
Napoléon avec la France ou contre la France (Editions du Cadran)
La République de Martigues (Editions du Cadran)
1930 *Quatre Nuits de Provence* (Flammarion)
Corse et Provence (Flammarion)
De Démos à César (Editions du Capitole)
1931 *Au Signe de Flore* (Les Œuvres représentatives)
1931 *Principes* (Cité des Livres)
Méditation sur la politique de Jeanne d'Arc (Editions du Cadran)
1932-1935 *Dictionnaire politique et critique* (établi par les soins de Pierre Chardon) (5 volumes, Cité des Livres)
1932 *Heures Immortelles* (Nouvelle Librairie Française)
Le Quadrilatère (Flammarion)
1935 *Louis XIV et la France* (Editions du Cadran)
1937 *La Dentelle du Rempart* (Grasset)
Devant l'Allemagne éternelle (A l'Etoile)
Jacques Bainville et Paul Bourget (Editions du Cadran)
Mes Idées Politiques (Fayard)
Le Verger sur la Mer (Flammarion)
1939 *Le Voyage d'Athènes* (Editions d'histoire et d'Art, Plon)
1941 *La seule France* (Lyon, Lardanchet)

CHARLES MAURRAS

« Je n'ai pas vécu en momie, j'ai agi, travaillé, tenté de conseiller ou d'orienter. Peut-être à tort. Et probablement à raison. »

(C. M.)

« La liberté n'est pas au commencement, mais à la fin. Elle n'est pas à la racine, mais aux fleurs et aux fruits de la nature humaine ou, pour mieux dire, de la vertu humaine. On est plus libre à proportion que l'on devient meilleur. Il faut le devenir. Nos hommes ont cru s'attribuer le prix de l'effort en affichant partout, dans leurs mairies et leurs écoles, dans leurs ministères et leurs églises, que ce prix s'acquiert sans effort. Mais afficher partout que chacun naît millionnaire, vaudrait-il à chacun ombre de million ? »

« Aider à servir la patrie est une belle chose. Aider à la venger n'est pas moins délicieux. »

(Dictionnaire politique et critique)

Il n'est guère d'écrivain français qui ait été plus admiré ou détesté de ses contemporains que Charles Maurras. D'aucuns, se mettant à ses genoux, l'ont proclamé un poète, un penseur incomparable ; d'autres, avec une égale sincérité, l'ont déclaré le sophiste le plus malfaisant du siècle. Il y a quelques années, un banquet de la *Revue des Deux Mondes*, présidé par le maréchal Franchet d'Espérey, se terminait par une vibrante manifestation maurrassienne : une brillante assemblée de noms illustres applaudissait à l'éloge d'un homme qui purgeait alors une peine infamante dans une prison d'État. La semaine même où des hommages éclatants parvenaient de toutes parts à Maurras, un journaliste royaliste publiait un ouvrage dans lequel le directeur de la monarchiste *Action Française* était traité de « métèque Berbère mitigé de Grec, sourd comme un souterrain, pustuleux comme un crapaud, laid comme un hibou ». L'auteur, citant les propres termes d'un directeur de la *Gazette* où Maurras jeune écrivit quelques-unes de ses pages les plus fameuses, ajoutait que le style de l'écrivain était « abstrus, constipé, caverneux, massif, rébarbatif, arthritique, empesé, essoufflé », et que ses œuvres exhalaient sa « haine du païen contre l'Eglise », celle de « l'idolâtre contre le vrai Dieu, du musulman contre la Chrétienté ». [1] Diable ou dieu, le même Maurras sera élu à l'Académie Française en 1938, après que Claudel se sera vu fermer les portes de l'illustre société.

Qui dit Maurras pense *Action Française*. Or le nom seul de ce journal du « nationalisme intégral » a pour effet de provoquer des commentaires extrêmes. Il est difficile de ne pas prendre parti avec vigueur, quand on évoque les quarante années de quotidiennes polémiques dirigées par cet organe contre la République, les gouvernements républicains, le Pape, voire même les chefs de la Maison de France. D'où les assauts contre Maurras et le « maurassisme ». D'où aussi les éloges passionnés. D'où, enfin, le fait que Maurras est mal connu, tant de ses adversaires que de ses admirateurs : il est si facile de se faire de lui une image grossière et simple, déformée par les passions politiques !

Un point, en tout cas, est indiscutable. Bonne ou mauvaise, l'influence des idées maurrassiennes a été considérable. Charles Maurras a rassemblé les idées traditionalistes françaises du XIXe siècle en un solide corps de doctrine. Il les a revivifiées d'une façon étonnante et les a remises en honneur auprès d'une partie de la jeunesse. Il a créé — ou recréé — un système cohérent dont l'influence n'a cessé de croître dans le domaine politique, social et littéraire. Dans l'histoire idéologique de la France, il occupe une place comparable à celle d'un Lamennais ou d'un Michelet, d'un Taine ou d'un Renan. C'est pourquoi il importe de connaître l'homme et de dégager, avec autant d'objectivité

1. Edmond Renauld, *L'Action Française contre l'Eglise catholique et contre la Monarchie.*

qu'il est possible en pareille matière, les grandes lignes de la pensée et de l'œuvre.

* * *

Charles Maurras est un homme du Midi. Il est né, le 20 avril 1868, dans la petite ville provinciale de Martigues. Il a passé ses premières années au bord de la Méditerranée, au pays du Soleil, de la lumière compacte, des montagnes sèches et des pentes rocailleuses. Toujours, il a chéri tendrement cette « terre maigre et dorée où siffle le vent éternel, ses vergers d'oliviers, ses bois de roseaux et de pins (qui) voilent à peine ses rochers ; le ciel y est magnifique, exquis le dessin des rivages et si gracieuse la lumière que les moindres objets se figurent dans l'air comme des Esprits bienheureux ». [1]

Nous soulignerons plus loin l'importance de ces origines provençales dans la formation intellectuelle de Maurras. Bornons-nous à indiquer ici que l'écrivain a été assez profondément marqué par son terroir. Il n'a pas conservé seulement l'amour du sol natal, des parfums et des mets de Provence, le goût des galéjades. Sa philosophie sera, d'autre part, nettement, consciemment, résolument méditerranéenne. Comme Pierre Lasserre, comme Paul Valéry, — deux autres méridionaux, — il sera un théoricien de l'être et du fini, concevant des formes nettes, terminées par la mort (à la différence de Péguy, qui ne croit pas à la mort, mais à la vertu éternellement renaissante des peuples et des êtres).

Son père, qui était percepteur, n'était pas un pur « Blanc du Midi » subordonnant les traditions familiales à la *res publica* ; il s'était laissé persuader de servir l'administration du Second Empire. Le grand-père de Charles Maurras, son arrière-grand-père avaient été aussi percepteurs et fils de collecteurs de taxes. De cette hérédité, Maurras gardera un goût de l'organisation, un besoin de réalisme et d'expérience, un sens de l'Etat. C'est un bourgeois de souche bourgeoise, accoutumée au service de l'Etat.

---

1. *Le Chemin de Paradis*, p. X.

Le jeune Maurras, pourtant, fut un garçon irrespectueux, plein de mépris pour les idées toutes faites. Lui-même a dépeint, dans *L'Etang de Berre,* cet adolescent qui, au collège d'Aix, tout en s'abreuvant d'humanisme classique, s'enivrait de songe, de fantaisie et de rébellion. Il a déclaré, dans un moment de confidence, que l'anarchisme de son enfance allait jusqu'à nier la géométrie. Il perdit bientôt la foi, mais il se garda de suppléer à celle-ci par l'adoption de philosophies matérialistes ou positivistes. Il refusa d'abreuver son anxiété à des sources impures et décevantes.

Ce riche tempérament semblait disposé au règne de l'anarchie et de la passion. Il débuta par là. Mais il avait aussi l'amour des belles-lettres, des images esthétiques et des belles idées. Il finira par aboutir à la haine de l'anarchie et à la passion de l'ordre.

Il aurait voulu être marin. Devenu sourd vers l'âge de quatorze ans, il dut renoncer à tout un domaine de l'action dont il avait rêvé. Il s'acharna à ses études, se livra aux plaisirs de la réflexion.

Au moment de quitter le collège, il avait lu et relu Joseph de Maistre, Bossuet, Taine, Le Play, Kant, Schopenhauer. Il était pénétré des grands classiques grecs et latins. Il était sur le point de lire Auguste Comte et Renan.

Il arriva à Paris en décembre 1885. L'une de ses premières impressions de la capitale fut qu'elle était livrée aux étrangers :

« Dès les premiers pas que je fis dans Paris,... j'avais été frappé, ému, presque blessé du spectacle matériel de ces belles rues et de ces grands boulevards que pavoisait, du rez-de-chaussée jusqu'au faîte, une multitude d'enseignes étrangères, chargées de ces noms en K, en W, en Z que nos ouvriers d'imprimerie appellent spirituellement les lettres juives. » [1]

Cependant, Maurras continuait à s'absorber dans les questions d'histoire et de philosophie ; il se passionnait pour la littérature et s'essayait à la poésie. A vingt-deux ans, il fut, avec Jean Moréas et Raymond de la Tailhède, un des

1. *Au Signe de Flore*, p. 31.

fondateurs de cette Ecole *romane* dirigée « contre la dissolution verlainienne et la brumeuse phraséologie du symbolisme ».

A vingt-six ans, il publie *Le Chemin de Paradis,* un recueil de contes philosophiques, où, sous le masque de l'Antiquité, se trouvent ébauchées déjà les grandes lignes de la pensée maurrassienne. Anatole France aima le livre et favorisa l'auteur d'une flatteuse épigraphe :

« Ton enfance heureuse a respiré
L'air latin qui nourrit la limpide pensée
Et favorise au jour sa marche cadencée...

Le long du rivage sacré,
Parmi les fleurs de sel qui s'ouvrent dans les sables
Tu méditais d'ingénieuses fables,
Charles Maurras ; les dieux indigètes, les dieux
Exilés et le dieu qu'apportait Madeleine
T'aimaient : ils t'ont donné le roseau de Silène
Et l'orgue tant sacré des pins mélodieux. »

Quelque éloignés qu'ils pussent être dans le domaine politique, France et Maurras gardèrent toujours une profonde admiration réciproque :

« J'étais presque encore une enfant, » écrit Mme de Noailles, « quand j'entendis Anatole France parler de Maurras avec délectation, amitié et préférence. »

Quant à Maurras, il retrouvait dans l'ingénieux professeur Bergeret, unie à la netteté française, la beauté athénienne et « la grecque subtilité ». Quand il parcourut Florence, ce fut *Le Lys Rouge* à la main. Il ira jusqu'à se battre en duel pour défendre l'auteur de *Thaïs* et du *Jardin d'Epicure.*

Aux alentours de 1890, Charles Maurras était un jeune disciple assez indépendant de Mistral et du Félibrige, qui acceptait pour maîtres Ronsard et Chénier, Racine et La Fontaine et pour « patrons », parmi les vivants, Anatole France et Maurice Barrès : les deux écrivains qui « relevaient et sauvaient le pays pensant de l'abjection et de la pauvreté des écoles régnantes, faisaient aimer le génie souverain de la langue et de l'art, honoraient les symboles et les idées, sentaient et discernaient la qualité des âmes ».[1] Maurras voyait dans la Provence l'héritière française d'Athènes, de sa sagesse, de son amour de la beauté. Ses premières œuvres, *L'Etang de Berre, Anthinéa, Quatre nuits de Provence,* qui constituent comme un bouquet de souvenirs d'enfance, reflètent cette conception.

Dès cette époque, l'homme et l'écrivain se révèlent tout entier : imaginatifs, ardents, parfois outranciers, nerveux, incisifs, puissants. Le verbe est dense, nombreux, impérieux. Le style est touffu, par moments obscur, mais, le plus souvent, plein de force et de variété ; il est toujours logique et riche en formules brillantes. Ainsi dans *Anthinéa* :

« Si la raison doit convaincre, c'est le rythme qui persuade. »

« Aussitôt que le beau lui cause de l'ennui, un honnête homme s'examine et travaille à se corriger. »

Un peu plus tard, Maurras se révèle, à la *Revue Encyclopédique,* à la *Gazette de France,* comme un critique littéraire de premier ordre. D'aucuns parlaient déjà d' « un nouveau Sainte-Beuve ».

Mais, au lieu du poète, du conteur, ou du critique qu'il semblait promettre, Maurras choisit de devenir un dialecticien et un écrivain de combat. C'est que, de plus en plus, l'idée s'est imposée à lui que la cité commande tout l'ordre des faits humains ; que le sort de l'intelligence est lié à celui de la cité. Le malaise de la cité moderne corrompant l'intelligence, la tâche urgente est de restaurer la cité. *Politique d'abord !* L'affaire Dreyfus sera, comme pour tant d'autres Français, le point tournant de son évolution et de sa carrière littéraire et politique. Au cours de l'affaire, un adversaire s'écria : « Plutôt la ruine de la société que le maintien d'une injustice ! » Maurras, résumant sa position, lui répondit qu'on avait déjà vu des sociétés sans justice, mais point encore de justice sans société.

En 1899 un comité d'*Action Française* est fondé pour

1. *Le Chemin de Paradis*, p. 245.

« maintenir les traditions de la Patrie Française et fortifier l'esprit de solidarité qui doit relier les générations d'un peuple ». C'est Maurras qui va apporter à cette ligue, d'abord républicaine, une doctrine royaliste par son *Enquête sur la Monarchie* (1900) et par ses articles de l'*Action Française,* qui devient quotidienne le 21 mars 1908.

L'*Action Française* mit entre les mains de Maurras l'instrument dont il avait besoin pour développer toute sa force. Halévy a dit que « Barrès régnait à *L'Echo de Paris,* un jour sur huit, et Maurras à *L'Action Française,* tous les jours. Tous les jours et sous deux noms : Maurras (en première page) pour la doctrine, et Criton (en troisième page) pour le jugement et la police de l'imprimé... » Il régnait aussi tous les soirs, par la parole, au premier étage du café de Flore. Il y parlait aux jeunes gens. Il les interrogeait à la manière antique, répétant des questions précises et les éclairant de commentaires rigoureux sur l'État, sa continuité et ses formes, sur le Nombre, et l'inaptitude de Démos, sur la monarchie et sa bienfaisance prouvée, « par la comparaison de ce qui, elle présente, s'était fait en France, et de ce qui, elle absente, s'y défaisait ». [1] Et sa prédication incessante, harcelante, en faisait un demi-dieu pour une bonne partie de la jeunesse du Quartier Latin, avide d'héroïsme et de certitudes.

Il en sera ainsi pendant de longues années. Un journaliste étranger, rendant visite à Maurras en 1940, notait encore l'activité indomptable, l'étonnante résistance physique, la lucidité et le charme personnel de l'homme :

« Les yeux vifs, protégés par un lorgnon, se braquent sur vous avec une force capable, semble-t-il, de détailler chacune de vos pensées. Sa voix de sourd, qu'on prétend étouffée, me semblait plutôt vague et caressante comme une main d'esthète sur un beau marbre. Les mots précis sortaient de ses lèvres minces, se filtraient, pour ainsi dire, dans sa petite barbe, avant de se classer dans leur ordre infaillible. Malgré son âge avancé, son regard reste jeune, sa démarche alerte...

1. D. Halévy, *Péguy et les Cahiers de la Quinzaine,* pp. 171-172.

« Il écrit de longs articles quotidiens, réunit les directeurs du journal, prépare ses volumes, rédige à la main toute sa correspondance, reçoit quantité de visiteurs, donne des conférences, assiste à des réceptions et assemblées... »

Maurras est « le chef spirituel du mouvement royaliste, il en a toutes les prérogatives ; ... il est le maître adoré de la plus agressive jeunesse du pays ». [1]

Bien avant cette époque, d'ailleurs, l'action de Maurras avait produit des fruits substantiels.

« Aujourd'hui, » écrivait Thibaudet au lendemain de la guerre de 1914-18, « il n'y a pas besoin d'être royaliste pour constater que la doctrine de M. Maurras est la seule qui réunisse un public, une jeunesse, autour d'une idée. » Comme Maurras le disait lui-même, « le prestige perdu par la Révolution est allé à la tradition, l'activité perdue par les idées démocratiques anime aujourd'hui les doctrines que l'on peut appeler *archistes.* Cela est l'œuvre propre de l'*Action Française* ». [2]

* * *

Albert Thibaudet, qui a analysé de façon pénétrante la pensée de Maurras a fort bien vu les divers éléments constitutifs de celle-ci : idée grecque, idée provençale, idée romaine, idée française, ou, si l'on préfère un langage plus imagé, « lumière de Grèce, air de Provence, pierre de Rome, terre de France ».

Maurras est, tout d'abord, un Hellène, nourri de la beauté et de l'harmonie attiques. Par sa passion des idées, par son aptitude à saisir le jeu des formes, par sa souplesse, son aisance, son enthousiasme, il est essentiellement grec.

En 1896, il a fait le voyage d'Athènes, au moment des Jeux Olympiques. Il a savouré, jusqu'aux transports physiques, l'atmosphère du pays et, les jeux terminés, il a respiré, aussi longtemps qu'il a pu, « la violette divine entre l'Acropole, Eleusis, l'Hymette et les champs de Colone ».

---

1. P. Péladeau, *On disait en France* (Montréal, 1941), pp. 127-132.
2. A. Thibaudet, *Les Idées de Charles Maurras*, p. 89.

Maurras admire profondément l'art et le génie grecs : c'est que la beauté grecque n'est pas l'expression du singulier ou de l'original. Le génie classique ne tire « son auguste apparence mobile que de la perfection, de l'abondance et de la vigueur de son mouvement ». Les Athéniens se sont distingués par la puissance de leur raison, « ce par quoi les hommes sont hommes ».

Dans *Anthinéa,* Maurras a résumé dans un paragraphe classique l'originalité du « miracle grec » :

« ... « Ce peuple d'hommes d'élite, » comme Lamartine nomma les Athéniens, eut ceci de particulier : il prit plaisir à imaginer les relations stables, permanentes, essentielles. L'esprit philosophique, la promptitude à concevoir l'Universel, pénétrait tous ses arts, principalement la sculpture, la poésie, l'architecture et l'éloquence. Dès qu'il cédait à ce penchant, il se mettait en communion perpétuelle avec le genre humain. A la bonne époque classique, le caractère dominant de tout l'art grec, c'est seulement l'intellectualité ou l'humanité. Les merveilles qui ont mûri sur l'Acropole sont par là devenues propriété, modèle et aliment communs ; le classique, l'attique est plus universel à proportion qu'il est plus sévèrement athénien, athénien d'une époque et d'un goût mieux purgés de toute influence étrangère. Au bel instant où elle n'a été qu'elle-même, l'Attique fut le genre humain. » [1]

La Grèce, pourtant, a été livrée à l'anarchie et à la destruction. Maurras ne songe pas à le nier.

« Il est parfaitement vrai que les Grecs ont donné au monde le spectacle d'un libertinage effréné en politique et en morale, et il est vrai qu'ils l'ont payé. Mais ce n'est ni leur politique ni leur morale qui se propose à l'admiration des siècles... Ce que la Grèce nous a légué d'unique tient à l'ordre des arts, à l'ordre des sciences. Or, sur ces points, l'art et les sciences, notre Grèce ne le cède ni à Rome païenne ni à Rome catholique pour le sens vigoureux, profond et grave de l'unité. L'art grec et la science grecque supportent la comparaison avec ce que Rome et Paris ont

1. *Anthinéa*, p. 56.

constitué de plus *un* en politique, en morale et en religion. La science grecque est un modèle d'aspiration à l'unité. L'art grec, si rationnel, exprime la perfection de l'unité. Pour un Grec, la beauté se confond avec l'idée même de l'ordre : elle est composition, hiérarchie, graduation. »[1]

Ce Grec est, naturellement, quelque peu païen. Ses amis catholiques — ils sont nombreux — ont dû le reconnaître.[2] Sa conception de Jésus est celle de Dante, celle du « souverain Jupiter qui sur terre fut pour nous crucifié ». Il ménage le Christ, mais son monde est séparé par une cloison étanche de celui d'une sainte Thérèse.

Il a été fortement influencé par Homère et par Platon. Du premier, il a lu et relu cent fois l'*Odyssée,* fasciné par la dignité du langage, la grandeur des Dieux, la diversité des talents et la sagesse d'Ulysse. Du second, il a tiré une philosophie de l'amour (qui n'est d'ailleurs pas dans la ligne orthodoxe du platonisme). A l'un et à l'autre, il emprunte le goût du mythe. Enfin, il empruntera une partie de ses arguments contre la démocratie aux Athéniens eux-mêmes, aux auteurs du procès de Socrate, aux sophistes, à Isocrate et, de nouveau, à Platon. La Grèce lui donnera l'idée que le propre de la démocratie « n'est que de consommer ce que les périodes d'aristocratie ont produit ».

* * *

En second lieu, Maurras est, nous l'avons vu, un homme du Midi, un Provençal « vif comme le feu », un Méditerranéen au regard rayonnant, « droit et fort comme le cyprès ». Dans son pays, les brumes n'ont pas le temps de s'épaissir, car elles sont balayées bien vite par le mistral. La claire pensée du Midi s'oppose à celle du Nord et à celle de l'Asie, qui aiment « la pensée fondue, la pensée absolue, la pensée indéfinie ».

Maurras reste proche de la terre et reprend force en touchant le sol où il est né. Homme du Midi, il aime le concret, le réel, les idées « claires, carrées, robustes et pleines

---

1. *Quand les Français ne s'aimaient pas*, pp. 187-188.
2. Cf. Descoqs, *A travers l'œuvre de Charles Maurras.*

d'être ». Il est réaliste, comme Vauvenargues, Gassendi, Comte, Renouvier, Guizot, Mistral.

Homme du Midi, enfin, Maurras n'est pas pessimiste. L'auteur du *Chemin de Paradis* aime la vie. Il ne refuse pas à l'homme le plaisir et l'amour :

« Le philosophe scythe voudra seul arracher du cœur humain la passion : en fait il en arracherait, du même coup, la vertu. Il reste toujours vrai et bon et souhaitable que la vie d'homme s'accroisse à la chaude vertu de ces miroirs magiques. L'extravagance et la folie seraient de fermer notre petite âme aux passions. »

Seulement, les passions ne doivent pas être divinisées. Elles ne sont « que la poursuite ardente du bonheur. La vie mêle la passion et la raison.

« Les passions fortes ne laissent pas l'esprit en chemin, mais le poussent, le hâtent, jusqu'à ce qu'il soit satisfait et qu'il puisse enfin prendre son repos dans une idée juste. »

* * *

Ainsi Maurras, lucide héritier d'une tradition et enthousiaste adepte de la vie, est-il, selon ses propres termes, « romain », c'est-à-dire passionné et raisonnable, bref *civilisé* :

« Je suis Romain, parce que Rome, dès le consul Marius et le divin Jules, jusqu'à Théodose, ébaucha la première configuration de la France. Je suis Romain, parce que Rome, la Rome des prêtres et des papes, a donné la solidité éternelle du sentiment, des mœurs, de la langue, du culte, à l'œuvre politique des généraux, des administrateurs et des juges romains. Je suis Romain dans la mesure où je me sens homme : animal qui construit des villes et des Etats ; non vague rongeur de racines ; animal social, et non carnassier solitaire ; cet animal qui, voyageur ou sédentaire, excelle à capitaliser les acquisitions du passé et même à en déduire une loi rationnelle, non destructeur errant par hordes et nourri des vestiges de la ruine qu'il a créée. »

* * *

Enfin, Maurras est ancré à l'idée vivante et totale de la France, à l'idée de l'intérêt national français.

Répondant à un article de Jaurès sur la question d'Alsace-Lorraine, il écrivait avant la guerre de 1914-1918 :

« Pour M. Jaurès, il n'y a point d'Alsace, il n'y a point de Lorraine, Jaurès ne retient... que l'idée d'une offense morale faite en 1871 aux Lorrains et aux Alsaciens, à ceux du moins qui vivaient à ce moment-là. Où nous parlons géographie, économique, histoire, art militaire, il nous répond jurisprudence, éthique et religion : les Allemands ont fait du mal aux Alsaciens et aux Lorrains, ils les ont annexés sans leur consentement ; les Allemands sont donc tenus à réparer leur tort. M. Jaurès est inflexible sur ce dommage. Mais on peut lire et relire son article, on n'y trouve rien qui soit relatif au fait alsacien-lorrain considéré comme nécessaire à la force et à la durée du reste de notre patrie. » [1]

Maurras, lui, se sent français par toutes les racines, par toutes les fibres de son être. Il souffre dans sa chair des attaques contre la France. Au cours de ses voyages à l'étranger, il a eu le cœur serré de voir la France défaite de 1870 amoindrie dans l'univers. D'autre part, pour Maurras, comme pour Barrès et Mistral, un bon Français est celui qui appartient à un terroir, qui est le fruit d'un arbre, d'une tradition et d'un ciel, qui est attaché à sa grande patrie par l'intermédiaire nécessaire de sa petite patrie.

Dans la tradition française, il reconnaît cette alliance frémissante de la vie et de la compréhension, de l'enthousiasme et de la raison.

Jeanne d'Arc savait ce qu'elle voulait, car l'héroïsme n'est point sans loi :

« La vertu classique et française dit : Parce que... Cette cornélienne à tous les étages de la culture et de l'éducation connaît parfaitement qu'une belle pensée est incapable de gâter un bon cœur mais en est, au contraire, l'unique parure, la seule qui soit harmonieuse et décente. »

Maurras a étudié et assimilé les traditionalistes français

---

1. *Kiel et Tanger*, p. 259.

des siècles précédents, depuis Rivarol et de Maistre jusqu'à Fustel de Coulanges et Amouretti. Il a assimilé et intégré ces divers courants. Il en a fait une doctrine dynamique et agressive.

* * *

Maurras est devenu un homme d'action par amour de l'Ordre. Il sait que tout désordre a pour terme la destruction, que désordre et destruction sont une même et unique chose. Il a lutté toute sa vie contre le désordre. Il a inlassablement dénoncé les « *forces de désordre* » dans la société contemporaine.

En littérature d'abord. Critique littéraire pendant dix ans, recenseur de livres et de pensers, Maurras a des idées très nettes sur le sujet et a exercé une grosse influence dans ce domaine. Il a été le chef d'une école anti-nordique et anti-romantique.

« Quand M. Maurras naquit à la vie littéraire, la critique de la *Revue des Deux Mondes* et du *Temps* s'accordait à signaler sur la France une grande accumulation de brumes norvégiennes. M. Maurras est arrivé du Midi avec du soleil et de la netteté. » [1]

Préludant au cri de guerre de Benda dans *Belphégor,* Maurras a attaqué avec force l'excès de la sentimentalité dans les arts, l'abaissement de l'intelligence virile et l'exaltation méthodique du démon féminin :

« Il n'est jamais question aujourd'hui que de Sentiments. Les femmes, si brisées et humiliées par nos mœurs, se sont vengées en nous communiquant leur nature. Tout s'est efféminé, depuis l'esprit jusqu'à l'amour. Tout s'est amolli. Incapable de disposer et de promouvoir des idées en harmonieuses séries, on ne songe plus qu'à subir. » [2]

Le Romantisme, que Maurras a analysé et impitoyablement disséqué dans *Les Amants de Venise* et *Le Romantisme féminin,* implique un primat de la sensibilité sur l'intelligence. Le Romantique ne sait même pas aimer, car « à force de poursuivre l'occasion de l'amour, d'en entre-

---

1. A. Thibaudet, *Les Idées de Charles Maurras*, p. 68.
2. *Le Chemin de Paradis*, p. XIII.

tenir le désir et d'en cultiver la mélancolie », le romantisme en a obscurci et voilé l'image. D'où l'aventure de George Sand et Musset, les infortunés *amants de Venise*.

Le Romantisme est un relâchement. « A force de tout relâcher, les romantiques ont créé ce vil Olympe de héros dissolus, d'où semblent retombées des générations toutes faites d'argile. » [1]

D'autre part, tandis que Ronsard et Malherbe, Corneille et Bossuet défendaient en leur temps l'Etat, le roi, la patrie, la propriété, la famille et la religion, les Romantiques « attaquent les lois de l'Etat, la discipline publique et privée, la patrie, la famille et la propriété ; une condition presque unique de leur succès paraît être de plaire à l'opposition, de travailler à l'anarchie ». [2] Le Romantisme est un sacrifice absolu de l'ordre social au caprice passionnel. Or la littérature n'est pas un passe-temps, un jeu de quilles. C'est une magistrature de l'Etat. Aussi Maurras déclare-t-il mauvais magistrats Rousseau, Chateaubriand, Hugo, Michelet, Quinet.

Le Parnasse, le réalisme, ne sont pas des remèdes au mal romantique. Ce sont seulement d'autres formes de ce mal. De grands esprits, même au siècle du romantisme, ont accumulé les chefs-d'œuvre en aspirant à l'ordre et en le recréant. Ainsi Rude, Delacroix, Musset, Balzac, Stendhal, Courier, Sainte-Beuve ont beau être engagés dans l'armée romantique, « ils font du classique, c'est-à-dire de l'éternel, sans le savoir ».

Maurras est un classique. Mais cela ne veut pas dire un académiste, ou un apôtre de la facilité et de la clarté. Il reconnaît que « le préjugé de la clarté a causé quelques maux aux lettres françaises ». Les vertus du classicisme d'après lui sont bien plutôt l'effort qu'il demande au lecteur et la richesse dans l'équilibre. On a usé, à force de se les renvoyer, les grands mots de raison, d'harmonie, de mesure. Les classiques du XVIIe siècle étaient « des gens terriblement éveillés, allants et remuants, et que le souci de

1. *Les Amants de Venise*, p. 287.
2. *L'Avenir de l'Intelligence*, p. 47.

déranger leurs précieuses lignes n'empêche jamais de bouger ; leur art, leur éloquence, leur philosophie et leur poésie se distinguent d'abord par un air de vitalité intense, par un caractère de profonde réalité ».

* * *

En religion, le désordre s'exprime par le protestantisme et le judaïsme.

Le protestantisme a été un désastre pour l'humanité parce qu'il a rompu l'unité et introduit le principe du libre examen et la souveraineté du sens propre.

« Avant la Réforme, la culture romaine s'étendait à la chrétienté tout entière. La Germanie n'existait point à l'état de *protestation* contre cette culture. Il y avait bien des sauvages et des sauvageries, mais il n'y avait point de *barbarie constituée* comme aujourd'hui. La Civilisation n'était point contrefaite. » [1]

Maurras se défend d'intolérance, d'ailleurs, dans sa *Politique Religieuse* :

« Ce n'est pas persécuter les protestants que de compter les destructions nées du protestantisme en Europe. Ce n'est pas organiser les massacres et provoquer l'intolérance que de constater courtoisement cette vérité objective que le protestantisme a pour racines obscures et profondes l'anarchie individuelle, pour frondaison lointaine et pour dernier sommet l'insurrection des citoyens, les convulsions des sociétés, l'anarchie de l'Etat. » [2]

Maurras résume ses objections aux Juifs en citant l'Israëlite Bernard Lazare : 1) « Le Juif est agent révolutionnaire » ; 2) Le Juif est « conservateur de lui-même ». [3] Autrement dit, le Juif est un levain de désordre et les Juifs sont solidaires les uns des autres contre les Français non-juifs.

D'où la nécessité d'interdire aux Juifs les postes d'administration, de direction, de formation des intelligences. Ce

1. *L'Avenir de l'Intelligence*, p. 223.
2. *La Politique Religieuse*, p. 47.
3. Bernard Lazare, *L'Antisémitisme et ses causes* (1894. Réimprimé en 1934).

qui, déclare Maurras — en opposition avec l'idéologie de 1789 — n'est pas une lésion aux droits inaliénables de la personne humaine. Car « il n'est écrit nulle part... qu'il soit offensant pour une personne humaine de ne pouvoir accéder à la direction ou à la gérance d'un théâtre ou d'un cinéma, d'une publication ou d'une université... Nous sommes les maîtres de la maison que nos pères ont construite et pour laquelle ils ont donné leurs sueurs et leur sang. Nous avons le droit absolu de faire nos conditions aux nomades que nous recevons sous nos toits ».[1]

Combattre le protestantisme et les Juifs ne veut point dire nécessairement qu'on soit un catholique orthodoxe. Maurras est un homme de foi, mais non un catholique discipliné. Plus que le dogme, il admire surtout la « Rome des prêtres et des papes (qui) a donné la solidité éternelle du sentiment, des mœurs, de la langue, du culte, à l'œuvre politique des généraux, des administrateurs et des juges romains. Il voit là « la seule internationale qui tienne ».

« Maurras, » écrit Barrès en 1913, « a un système d'ensemble dans lequel, comme Auguste Comte, il fait une place au catholicisme. Cela n'est pas acceptable pour l'Eglise. ».

L'Eglise devait, plus tard, marquer son opposition au maurrassisme et le condamner formellement en 1926.

* * *

En politique, le désordre est symbolisé par la Révolution et la Démocratie.

L'esprit de la Révolution est identique à celui de la Réforme. Maurras, en l'affirmant, ne fait d'ailleurs que reprendre une thèse chère à des écrivains aussi divers que Bossuet, Auguste Comte et Quinet. Mais tandis que celui-ci, par exemple, voit dans les deux mouvements une source de progrès, Maurras y voit une source d'erreurs et d'anarchie destructive.

La Déclaration des Droits est une affirmation d'idées fausses, de sentiments ou de « nuées ».

---

1. *La Seule France*, pp. 196-197.

Ces *Nuées,* « levées du côté de la Suisse, par le petit matin grisâtre qui amena Rousseau à Paris... coulent sur nous périodiquement. D'infortunées populations y tendent les mains, mais leurs pluies de mots insubstantiels brûlent la gorge qui a soif, creusent le ventre qui a faim, c'est tout ce qu'elles savent faire... Ce que les Nuées surexcitent, ce sont moins des besoins réels que les faux désirs inventés par leurs mensonges ; ainsi leur métier tourne-t-il à l'averse de sang ». [1]

La « nuée des nuées, » c'est l'idée de liberté. La liberté n'existe pas. Ce qui existe, ce sont « les libertés ». Les libertés particulières sont des réalités qu'il importe de défendre à tout prix. Mais la soi-disant liberté économique ôte à l'ouvrier les moyens de se défendre contre ses exploiteurs. Le principe de Liberté politique, constitutif du système républicain, a tué le respect du citoyen non seulement pour ces lois de l'Etat qui ne sont que passagères, mais aussi pour les lois éternelles de la nature. [2]

L'égalité, la fraternité, n'existent pas plus que la liberté. De même que l'homme dépend de son prochain et de ses supérieurs, de même l'inégalité règne et l'homme à l'état naturel a tendance à devenir anthropophage.

Aux yeux de Maurras, la démocratie a la nature pernicieuse d'une fausse religion. Devant « ce culte des Droits de l'Homme dérivé du Luther qui divisa l'Europe, du Rousseau qui déchira notre France, du Kant qui donna sa figure au schisme allemand », l'auteur du traité sur *Le Pape, la guerre et la paix* s'est écrié un jour : « *Tantum religio potuit suadere malorum !* »

Maurras oppose à la démocratie les objections suivantes : la Démocratie en général est multiple et changeante, inorganique et incohérente, incapable de ne pas centraliser et incapable en même temps de ne pas diviser, incapable de faire la guerre et incapable de l'éviter ; telle qu'elle fonctionne en France sous la Troisième République, elle est la carence d'une vraie aristocratie qu'elle remplace grossièrement par une fausse aristocratie.

---

1. *Les Princes des Nuées,* p. 12.
2. Cf. *Romantisme et Révolution,* Préface, p. 21.

Fondée sur l'élection et l'égalité des citoyens (la « nuée » Egalité), elle est nécessairement amorphe. Le magistrat élu est plus attentif à plaire qu'à servir. La démocratie ne peut s'organiser car « l'idée d'organisation, à un degré quelconque, exclut, à un degré quelconque, l'idée d'égalité. Organiser, c'est différencier, et c'est, en conséquence, établir des degrés et des hiérarchies. Aucun ordre ne saurait être égalitaire ». [1]

D'autre part, la République française ne vit que par un reste ou une imitation du vieil ordre monarchique et par l'existence d'une aristocratie politique qui la gouverne, celle des quatre Etats. Ces quatre Etats sont les Juifs, les protestants, les francs-maçons et la colonie étrangère :

« Organisation maçonnique, colonie étrangère, société protestante, nation juive, tels sont les quatre éléments qui se sont développés de plus en plus dans la France moderne depuis 1789. » [2]

La République a été particulièrement faible ou insuffisante dans sa politique extérieure.

Maurras, depuis toujours, a considéré l'Allemagne comme l'ennemi naturel de la France, comme celui devant lequel il faut être en perpétuel état d'alerte. Frappé, dès 1895, par l'influence des *Discours à la Nation allemande* de Fichte, il a voulu adresser à ses compatriotes des *Discours à la Nation française.*

Or, les hommes politiques de la Troisième République n'ont pas su voir l'étendue du péril ou lutter contre lui efficacement. Maurras a démontré dans *Kiel et Tanger* que la politique extérieure ne peut exister sans une certaine continuité. Or un gouvernement électif et parlementaire manque de continuité. La politique d'Hanotaux, celle de Kiel, heurta la France à l'Angleterre et sombra à Fachoda. La politique de Delcassé mena la France à Tanger, à l'humiliation et, plus tard — quand même — à la guerre. Les deux systèmes échouèrent faute de la continuité nécessaire dans le temps et dans l'espace : manque de tradition, obsta-

---

1. *Enquête sur la Monarchie*, p. 117.
2. *Quand les Français ne s'aimaient pas*, p. 217.

cles posés par les parlementaires ignorants, manque de liaison et de coordination entre l'armée et la marine, etc. Livrée à une diplomatie flottante, sans contrôle ni tradition, soumise à une politique intérieure vacillante, la France a été impuissante. Pressée entre les directions autoritaires de deux empires, elle est tombée dans tous les pièges et a dû consentir à cette « humiliation sans précédent » : le départ d'un ministre français par ordre d'un prince étranger.

Thibaudet note justement que « cette apologie de la continuité politique et monarchique est certainement ce qu'il y a dans l'œuvre de M. Maurras de plus continu, de plus suivi, de mieux composé. C'est un beau « discours » au sens ancien du mot, avec des pages admirables, dans une manière qui rappelle parfois Tocqueville et Prévost-Paradol. Le livre mérite d'être présenté à des jeunes gens comme une des meilleures lectures qui puissent ordonner l'intelligence et former le jugement, et de voisiner sur un rayon de bibliothèque avec la *Démocratie en Amérique* et la *Réforme sociale* ».[1]

Ni la République, ni la démocratie, ne pourront se sauver par le socialisme et surtout par un prétendu socialisme chrétien. Maurras a combattu avec la dernière vigueur Marc Sangnier et le mouvement démocrate catholique du « *Sillon* ». L'Eglise n'est pas consubstantielle à la Révolution de 1789. Le véritable Christ, celui de la véritable tradition catholique — dont le *Sillon* lui semble s'être écarté — n'est pas « le Christ de la conception protestante, révolutionnaire et moderne, le bizarre Jésus romantique et saint-simonien, suggéré par l'interprétation individualiste ».

* * *

Le remède, c'est la Monarchie, qui comble le « trou par en haut » de la République.

Un Etat normal est celui où quelqu'un peut dire : l'Etat, c'est moi : « Un Etat où chaque intérêt particulier possède ses représentants attitrés, vivants, militants, mais où l'intérêt

1. A. Thibaudet, *Les Idées de Charles Maurras*, p. 296.

général et central, quoique attaqué et assiégé par tous les autres intérêts, n'est pas représenté, n'a en fait aucune existence distincte, n'existant qu'à l'état de fiction verbale ou de pure abstraction. »[1]

L'idée du roi, c'est l'idée de l'intérêt général réalisée sous une forme personnelle.

La monarchie doit être héréditaire, car l'hérédité c'est le sort amendé et canalisé, réduit à son moindre degré de risque. Le principe d'hérédité, en l'occurrence, est beaucoup plus important que le principe monarchique :

« La monarchie n'est ni universelle ni éternelle. L'éternel, l'universel, c'est le gouvernement des familles, l'hérédité. »[2] L'ordre politique s'accomplit par les aristocraties. La monarchie française sera traditionnelle, antiparlementaire, décentralisatrice, représentative et corporative.

La doctrine de Maurras est aussi éloignée de la tyrannie que de la démocratie. Elle consiste, son créateur l'a maintes fois répété, dans un *juste équilibre entre l'ordre et la liberté.* C'est seulement dans cet équilibre entre des forces — et non entre des faiblesses — qu'une nation peut vivre. La vie a besoin d'actions et de réactions. Comme l'auteur de l'*Otage,* — qui ne l'aime point d'ailleurs, — Maurras pense qu'un régime est condamné quand il s'y est développé des germes de mort et des institutions sclérosées que rien ne peut sauver.

Enfin, Maurras n'est pas opposé à l'internationalisme. Répondant un jour à un critique de l'*Action Française,* Pierre Dominique rappelait que Maurras est positiviste et disciple d'Auguste Comte. Or, d'une part, les doctrines positivistes peuvent aisément être tirées vers l'internationalisme ; d'autre part, « tout nationaliste fervent, voire intégral, est nécessairement internationaliste, veut que, les nations subsistant, des combinaisons s'organisent entre elles, car l'idéal de tout homme qui pense est cet Empire temporel que déjà Dante voyait s'élever à côté du spirituel. Le mot a été sali, soit, mais une fois précisé le sens du mot,

1. *Kiel et Tanger,* p. XLIX.
2. *La Démocratie religieuse.*

l'Internationalisme ou Bouquet des Nations n'a rien qui choque... »[1]

* * *

En tant que polémiste, Charles Maurras peut avoir été un écrivain partisan, prisonnier de sa doctrine et semeur de haine. Il n'en est pas moins vrai qu'il aura été un des maîtres de la pensée française des quarante dernières années.

« Je n'ai pas vécu en momie, » déclarait-il en 1920. « J'ai agi, travaillé, tenté de conseiller et d'orienter. Non sans succès, non sans effets palpables dans les remous divers de notre génération. »[2]

En fait, c'est de plusieurs générations qu'il faudrait parler. Et l'influence de Maurras s'est étendue au delà des cercles monarchistes, de l'*Action Française* et des milieux nationalistes français. L'Italien Mussolini, le Portugais Salazar, l'Espagnol Franco, ont reconnu leur dette envers l'auteur de *L'Enquête sur la Monarchie* : ce qui ne veut pas dire, naturellement, que la doctrine monarchiste de Maurras puisse être identique aux fascismes. Il s'est toujours défendu, pour sa part, d'éprouver la moindre sympathie pour le régime national-socialiste allemand et a dû parfois redouter les excès de ses admirateurs étrangers.

Maurras a prêché l'action pour les Idées. Il n'a peut-être pas eu à cet égard toute l'influence qu'il aurait voulu avoir. Il n'a pas pu faire triompher les Idées sur les Sentiments. Et sans doute, dit-il quelque part, a-t-il mal choisi son siècle :

« J'ai pu croire autrefois que le mâle amour des idées était près de se réveiller chez plusieurs jeunes hommes de ma génération. Mais j'ai assez vécu pour me convaincre de l'erreur. Ils aiment les idées comme de belles mortes. »[3]

Cependant, Maurras a exercé une action considérable sur la jeunesse. Il ne pouvait en être autrement. Dans un monde

---

1. « Critique de Maurras », dans *Le Divan,* septembre-octobre 1925, p. 491.
2. *Le Chemin de Paradis,* p. XIV.
3. *Idem,* p. XIV.

qui méprise l'intelligence et l'emploie surtout au service de la matière, Maurras a essayé de restituer son rôle à la Pensée. Dans une république dont les débuts furent associés à la défaite militaire et à la guerre civile, [1] dans une démocratie d'apparences peu glorieuses, maladroite, sans cesse agitée par de pénibles efforts, il a proposé le rêve d'une France unie, forte, laborieuse, apaisée sous un joug paternel et juste. A un monde et à une jeunesse auxquels l'héroïsme devenait étranger, Maurras a montré, fièrement et noblement, la voie de l'héroïsme. Il a défendu sa conception du héros, de l'homme complet — mais non du *surhomme* de Nietzsche. Il a maintenu les positions héroïques de l'homme. Il a eu le sens de l'héroïsme. Il a compté parmi ses disciples quelques héros qui avaient à la fois le sens de la grandeur et celui de l'humain et ne cherchaient point à appartenir à une classe de chefs.

Cette influence de Maurras a connu des hauts et des bas.

Au lendemain de la guerre de 1914-1918, non seulement ses disciples mais ses adversaires paraissent obsédés par une doctrine qui s'est partiellement imposée à l'Etat luimême et a reçu des événements la confirmation tragique des « quinze cent mille jeunes Français... couchés froids et sanglants sur leur terre mal défendue ». La pensée maurrassienne apparaît alors à d'aucuns comme « un roc prestigieux ». Drieu la Rochelle, dans *Mesure de la France,* écrit : « Il y a eu la Pléiade, il y a eu les hommes de 1660, il y a eu les Romantiques, il y a eu les Symbolistes dans l'ordre de la poésie. Il y a eu, dans l'ordre politique, les Encyclopédistes, les hommes de 48, l'*Action Française.* »

En 1923 encore, Pierre Dominique affirme : « L'histoire de Rome prolongée par les papes, la guerre, le visage sans amour de l'étranger, Maurras, voilà mes quatre grands maîtres. »

Mais aux alentours de 1926, l'influence de Maurras décline. Les grands courants humanitaires et internationalistes

1. Les changements de régime, souvent, sont associés à des désastres militaires : la Restauration après Napoléon 1er, le régime bolchéviste après les défaites tsaristes, etc...

qui mèneront à l'esprit de Genève, de « Locarno » et au pacte Briand-Kellogg semblent s'opposer à tous les nationalismes. L'Europe « nouvelle » paraît devoir se fonder sur un plan idéologique absolument étranger à celui de Maurras. D'autre part, le néo-classicisme, qui semble disparaître dans la stérilité, entraîne avec lui une partie du maurrassisme. Enfin, la jeune génération reproche à Maurras de n'être pas assez « inquiet » : « C'est bien là ce qui nous écarte de lui, » note Daniel Rops en septembre 1926 ; « il confesse sa foi dans le relatif et affirme que le charme de l'intelligence peut seul conduire à l'absolu. »

Dans cette même année 1926, le Vatican condamne l'*Action Française*. Jacques Maritain qui avait été l'ami de Psichari, qui avait signé en 1920 le manifeste *pour un parti de l'intelligence,* avait tenté une défense de Maurras, mais bientôt il approuve Rome et publie *Primauté du Spirituel.*

Cependant quelques années plus tard, devant le flot montant des totalitarismes, la jeunesse désireuse de s'accrocher de nouveau à une ancre solide, s'intéressait de nouveau au maurrassisme. D'aucuns voyaient en Maurras un rempart contre le communisme, d'autres un frein contre le fascisme. Sa doctrine semblait, en effet, capable d'opposer un obstacle à tous les collectivismes. Opposée aux individualismes sans tomber dans l'excès contraire, elle avait pu paraître « dirigée contre l'individu et ses excès : c'est qu'il fallait alors obvier à certains dangers ». Mais « devant la menace des collectivismes, américain ou russe, sans avoir changé une ligne ou renié une attitude », elle paraissait, à présent « l'abri le plus sûr pour les libertés de l'individu menacé ». [1] Au mois de juillet 1939, après treize ans de séparation, la Papauté elle-même mettait le sceau à la réconciliation de l'*Action Française* et de Rome.

En 1941, Maurras, tout en se livrant à ses attaques coutumières contre la République et contre les démocraties, continuait à batailler pour sa conception de « la seule France ». Il rappelait aux Français que « lorsque Jean Gottlieb Fichte, deux années après Iéna, prononça, à l'Uni-

---

1. R. Brasillach, *Portraits*, pp. 32-33.

versité de Berlin, ces discours à la Nation allemande d'où partit le relèvement de son pays, il y avait un gouverneur français dans la capitale de la Prusse. Cependant, le philosophe du Germanisme avait gardé l'espérance. Qu'est-ce qui nous oblige à la perdre, nous ? Le pire malheur serait de nous tromper quant à la juste direction de nos gémissements, de nos remords et de nos regrets. Ne laissons pas parler, surtout, d'une France moralement dégradée, ou physiquement dégénérée, ou déshonorée. Cette diffamation n'est point conciliable avec les marques de vertu, avec les signes de valeur qui ont emporté l'admiration du monde. Ni l'intelligence, ni l'esprit d'invention, ni l'imagination poétique, scientifique, industrielle, ne sont en baisse parmi nous. La France demeure la France. Il ne faut pas laisser mettre en cause la substance vivante et, pour ainsi dire, la chair du peuple français, moins encore son âme ou son esprit ». [1]

Il y avait, dans ces lignes, des choses si nobles qu'elles pouvaient recueillir les suffrages de presque tous les Français. Pourtant, beaucoup d'entre eux, dans la France occupée et meurtrie de 1942-43, souhaitaient un relèvement différent de celui de l'Allemagne après 1806. Beaucoup estimaient que la société de demain ne serait fondée ni sur l'esprit de Genève, ni sur la conception maurrassienne de l'ordre, aujourd'hui dépassée. Beaucoup préféraient et opposaient Péguy à Maurras. A celui qui voit la mort, qui oblige à la voir, qui tire de cette vision sa force conquérante, à ce Démosthène, à cette Cassandre, à ce dur Machiavel, beaucoup seront toujours tentés de citer les fameux vers de Péguy :

« Et l'arbre de la grâce est raciné profond
Et plonge dans le sol et cherche jusqu'au fond
Et l'arbre de la race est lui-même éternel... »

1. *La Seule France*, pp. 20-21.

CHRONOLOGIE D'ALAIN
(né en 1868)

1908 *Propos d'Alain* (Rouen, Wolf et Lecerf)
1909 *Propos d'Alain* (2e série) (Rouen, Wolf et Lecerf)
1911 *Propos d'Alain* (3e série) (Rouen, Wolf et Lecerf)
1914 *Propos d'Alain* (4e série) (Rouen, Wolf et Lecerf)
1915 *Vingt et un Propos d'Alain* (L'Emancipatrice)
1917 *Quatre-vingt-un Chapitres sur l'Esprit et les Passions* (C. Bloch)
1919 *Les Marchands de Sommeil* (C. Bloch)
1920 *Les Propos d'Alain* (2 vol., Nouvelle Revue Française)
Système des Beaux-Arts (Nouvelle Revue Française)
1921 *Mars ou la Guerre jugée* (Nouvelle Revue Française)
1923 *Propos sur l'Esthétique* (Stock)
1924 *Propos sur le Christianisme* (Rieder)
Lettres au Docteur Mondor (Nouvelle Revue Française)
1925 *Eléments d'une Doctrine radicale* (Nouvelle Revue Française)
Propos sur le Bonheur (J. Fabre)
Souvenirs concernant Jules Lagneau (Nouvelle Revue Française)
1926 *Le Citoyen contre les Pouvoirs* (Kra)
Sentiments, Passions et Signes (M. Lesage)
1927 *Les Idées et les Ages* (2 vol., Nouvelle Revue Française)
Esquisses de l'Homme (Pelletan et Hellen)
Les Sentiments Familiaux (Cahiers de la Quinzaine)
La Visite au Musicien (Nouvelle Revue Française)
1928 *Onze Chapitres sur Platon* (Hartman)
Introduction aux Passions de l'Ame de Descartes (Jonquières)
Propos sur le Bonheur (Nouvelle Revue Française)
1929 *Cent un Propos d'Alain* (5e série) (M. Lesage)
Commentaire de Charmes de Paul Valéry (Nouvelle Revue Française)

1930 *Entretiens au Bord de la Mer* (Nouvelle Revue Française)
1931 *Vingt Leçons sur les Beaux-Arts* (Nouvelle Revue Française)
1932 *Propos sur l'Education* (Rieder)
Idées (Paul Hartmann)
1936 *Histoire de mes Pensées* (Nouvelle Revue Française)
1937 *Avec Balzac* (Gallimard)
1939 *Echec à la Force* (Gallimard)

ALAIN

> « ... « *Toute preuve,* » *disait encore notre maître,* « *est pour moi clairement déshonorée.* » *Ce qui remettait à sa place l'entendement.* »
>
> (A. Maurois, *Mémoires*, I, 79)

> « *La vraie ressource de la plus profonde philosophie contre les passions est de les voir comme elles sont et de les nommer comme elles le méritent.* »
>
> (*Mars ou la Guerre jugée*, p. 37)

Le pseudonyme d'Alain recouvre l'étonnante fortune extra-universitaire d'un pédagogue qui, depuis le début du siècle jusqu'à la fin de la période de l'entre-deux-guerres, n'a cessé d'exercer une grande influence sur la jeunesse intellectuelle et sur le monde des lettres. Ce professeur qui, sous le nom d'Emile Chartier, enseigna la philosophie à une quarantaine de promotions de bacheliers bretons, normands et parisiens, a eu, dans sa chaire et en dehors de sa chaire, une action que d'aucuns ont déclaré surpasser celle d'un Lamennais ou d'un Renan. Il a eu des élèves, des disciples, des imitateurs, des admirateurs et des fidèles. Des hommes aussi divers qu'Henri Massis et Denis Saurat, Henri Franck et Jean Prévost — sans oublier André Maurois, son plus fameux élève — ont reconnu leur dette envers lui. Ils l'ont égalé — peut-être à tort — à Abélard, Montaigne, Vauvenargues, Ruskin, Chesterton, Santanaya... Plusieurs anciens élèves, et non des moindres, nous ont dit : « L'influence d'Alain sur mes goûts littéraires a été aussi puissante que son influence sur mes pensées. » Aucune histoire des idées et de la littérature de la première moitié du XXème siècle ne pourra, en tout cas, passer entièrement sous silence le nom et l'œuvre d'Alain.

* * *

Emile Chartier est né à Mortagne en 1868.

De son pays natal, Alain dira plus tard : « Ce n'est pas par rencontre que je suis de ce pays-là ; je suis ce pays-là. »[1] Dans cette région du Perche, « fourrée et isolée », l'esprit d'indépendance, de Chouannerie, de révolte, d'opposition aux pouvoirs, est infatigable.

C'était le fils d'un vétérinaire de campagne, « sorte de Diogène » rempli de sens commun et éloigné des nuées. Son père lui enseigna de bonne heure l'amour des réalités et du raisonnement fondé sur l'observation des réalités :

« Un jour, me montrant un cheval qui trottait à cinq cents mètres, il me dit : « Tu vois ce cheval borgne ? » — « Borgne, » répondis-je, « comment le sais-tu ? » — « Il faut, » dit-il, « que tu sois bien bête ; regarde une de ses oreilles qui explore en tournant ; c'est de ce côté-là qu'il est borgne. »

« Une autre fois, il m'expliqua, comme parlant à lui-même, pourquoi les Américains, qui nous achetaient beaucoup, n'arrivaient point à fixer la race percheronne chez eux. « Ils n'ont point, » dit-il, « nos pâturages secs. Dans les prés humides, nos chevaux prennent une maladie du pied, c'est le *crapaud,* qui fait qu'ils marchent sur la pointe ; et de là la croupe se déforme ; ils n'ont plus que des rosses après deux ou trois ans. » J'entrevis que les formes animales étaient comme la forme des collines. Et depuis ce jour je n'ai jamais cessé de penser en darwinien. »[2]

Le père Chartier avait des dettes et des soucis. Pour les oublier, il fut « un enragé liseur, et presque sans choix ». Son fils devait hériter quelque chose de cette puissance de lecture, qui lui donna de bonne heure un bagage de culture assez considérable.

Le jeune garçon commença ses études au collège de Mortagne. Il y découvrit la géométrie, bien qu'elle fût expliquée « par un prêtre qui l'enseignait sans la comprendre ». De cette époque date aussi, sans doute, son éloignement pour la re-

1. *Souvenirs de Guerre,* p. 174.
2. *Histoire de mes Pensées,* pp. 19-20.

ligion catholique, dans laquelle il avait été élevé. Lorsqu'il cessa d'avoir peur, il cessa de croire.

De Mortagne, Emile Chartier passa à Alençon, puis au Lycée Michelet. Il y fit de fort bonnes études, surtout en mathématiques. Ses professeurs souhaitaient l'aiguiller vers l'Ecole Polytechnique, mais il préféra préparer l'Ecole Normale.

A Michelet, il fut l'élève du philosophe Jules Lagneau. Celui-ci exerça sur lui une profonde influence : « *Je connus un penseur, je l'admirai, je résolus de l'imiter.* » A Lagneau, Alain devait emprunter le fond de son système philosophique, à la fois réaliste et rationaliste : « J'ai appris de lui un genre d'analyse qui adhère à l'objet et qui est de pensée pourtant. » [1]

Chartier avait une merveilleuse facilité, qui s'étendait aux disciplines — et aux acrobaties — les plus diverses. Il s'intéressait au dessin et à la musique. Il était capable de composer des marches et des danses pour les fanfares communales aussi bien que des actes en vers pour divertissement de société. Mais il n'aimait pas l'histoire et la prosodie latine. D'où un échec à sa première tentative pour entrer à l'Ecole Normale. Il fut cependant reçu au Concours de 1889 et prépara l'agrégation de philosophie.

A l'Ecole Normale, Chartier passa trois ans « bruyants et hors de règle ». Il ne s'intéressait pas encore à la politique. Celle-ci, d'ailleurs, ne devait entrer à l'Ecole qu'aux générations suivantes, celles de Péguy et de l'affaire Dreyfus :

« Ces problèmes-là ne nous touchaient pas. Le célèbre Herr, qui était dès ce temps-là bibliothécaire, et déjà socialiste hautement honorable, n'avait encore que peu d'influence, quoiqu'il fût très redouté. Je n'ai pas connu un seul socialiste parmi nous. Le mouvement boulangiste n'avait rien remué. » Barrès était lu dans les turnes, mais personne ne le prenait au sérieux. Jaurès était tout à fait inconnu. « Nous étions partagés entre les Belles Lettres et les amourettes. » [2]

Le jeune agrégé débuta au collège de Pontivy. Il y en-

---

1. *Idem*, p. 24.
2. *Idem*, p. 38.

seigna Platon et Aristote à deux classes réunies qui faisaient trois élèves en tout, « dont l'un approuvait de la tête et ne comprenait rien. Tous furent bacheliers, et cela ne m'étonna point ». [1]

Chartier enseigna ensuite pendant sept ans au Lycée de Lorient. La ville était gaie et remuante. Elle offrait à l'infatigable observateur des réalités maints nouveaux exemples pris dans le monde des coloniaux et des navigateurs. Le professeur de philosophie enrichit son expérience du réel et ajouta, vers le même temps, à son bagage déjà considérable, l'étude de l'astronomie. Mais surtout, c'est à Lorient que l'affaire Dreyfus vint solliciter Chartier. Il prit position contre « le parti de la sottise » :

« Je ne fus dreyfusard que malgré moi, et par l'abondance de naïves sottises qu'on lisait dans les journaux du parti militaire. Autrement j'apprenais avec calme qu'un officier d'état-major s'était pincé le doigt dans son propre tiroir. Car j'avais travaillé en passant sur l'histoire militaire ; je n'avais pas grande opinion de ces hommes violents et prudents ; et je méprisais particulièrement tout ce qui touche à l'espionnage et au contre-espionnage. Je me trouvais ainsi dans la position d'un arbitre sans chaleur. Toutefois, quand il fut évident que les grands chefs s'honoraient presque d'une erreur, et en tiraient occasion de nous rappeler qu'ils nous gouvernaient, je me jetai dans la révolte, et je rattrapai mes amis dreyfusards. » [2]

Alain tint des discours sur des bancs de square, fit de la propagande auprès des ouvriers de l'arsenal et des marins et prépara même des plans en vue de la constitution d'une commune autonome pour le cas d'un coup d'Etat militaire ! Il contribua à la fondation d'une Université populaire et d'un journal radical. Il dut même, du fait de la pauvreté des comités radicaux, écrire en grande partie leur journal à lui tout seul. Mais il ne s'en plaignait point : « J'ai retrouvé là, » devait-il déclarer plus tard, « les conditions de la pensée véritable, c'est-à-dire premièrement une émotion, une

1. *Idem*, pp. 56-57.
2. *Idem*, p. 49.

indignation, une révolte ; il a fallu s'élever de cet état violent à des pensées. Autrement tout était perdu. Le citoyen ne peut se sauver que par la pensée. Encore maintenant c'est un petit journal bien peu lu, mais libre, qui est de toutes mes œuvres la préférée. »

De Lorient, le professeur Chartier passa au lycée Corneille, à Rouen. Il y aura pour élève Emile Herzog, plus tard André Maurois. Celui-ci a noté dans ses *Mémoires* l'impression produite par son premier contact avec le maître déjà célèbre :

« Soudain la porte s'ouvrit en coup de vent et nous vîmes entrer un grand diable à l'air jeune, belle tête normande aux traits forts et réguliers. Il s'assit à sa table, sur l'estrade, nous regarda un instant en souriant, puis alla au tableau noir et écrivit en grec la fameuse phrase de Platon : « Il faut aller à la vérité avec toute son âme. »[1]

Depuis plusieurs années déjà, Chartier écrivait. Il collaborait, sous le nom de Criton, à la *Revue de Métaphysique et de Morale*. Il donnait aussi des articles aux journaux dreyfusistes. En 1906, il commença à faire paraître dans la *Dépêche de Rouen,* sous le pseudonyme d'Alain, un « Propos » quotidien. Ces *propos,* — « entrefilets relevés au niveau de la métaphysique, » — étaient de petits essais, de cinquante à soixante lignes, écrits dans un style poétique et vigoureux. Ils analysaient en général les passions ou émotions, d'après les mouvements du corps humain. « D'après une vue de l'homme nu et n'ayant que soi, » ils renouvelaient les analyses de la richesse, du commerce, du travail, du salaire, etc.

Les *Propos* étaient extraordinairement stimulants. L'auteur, d'ailleurs, s'efforçait avant tout de rester vivant, de lutter contre les « marchands de sommeil », de dénoncer « le peuple des Morts » :

« Que de momies sur cette terre ! Le départ est beau. Appétit de voir, de savoir, d'agir. Exploration du vaste monde. Ni ruse, ni petitesse, ni réflexion sur soi. Toute la vie se penche hors d'elle-même. On trace de grands chemins

---

1. *Mémoires*, I, p. 75

que l'espérance éclaire comme un phare. O jeunesse magicienne ! Toute vie commence ainsi. « Béni soit celui qui vient sauver le monde » on pourrait bien chanter cela autour de n'importe quel berceau. Toutes les mères chantent ce refrain-là. Toute mère est Vierge un moment. Tout enfant est Dieu un moment.

« Le peuple des Morts sait très bien cela. Le peuple des Morts sait tout. Science apprise, science de musée, étiquettes et squelettes. Il s'agit donc de tuer proprement ce petit dieu vivant. Viennent les rois mages, avec leurs trésors et leurs parfums. Adoration, éloges, promesses. Allons, petit, il faut travailler si tu veux être tout à fait dieu. Travailler, c'est-à-dire ne plus voir les choses et apprendre des mots. Tout ramasser en soi, comme dans une cassette ; conserver. Quoi ? Toute la poussière des morts, des siècles d'histoire, tout ce qui est réellement mort à jamais. Des Pharaons, des Athalies, des Nérons, des Charlemagnes, tous les grands tombeaux. Regarde, petit, regarde derrière toi ; marche à reculons ; imite, répète, recommence. Quand tu sauras bien parler, tu verras comme tu penseras bien.

« Puis des Sciences. Non pas sa science à lui, mais une science fossile des formules, des recettes. Hâte-toi ; tout ce qui a été dit, il faut que tu saches le dire. La couronne est au bout. Lui se retient, se resserre, se façonne mille bandelettes autour de son corps impatient. Le voilà mort, bon pour un métier dans le peuple des Morts.

« Quelques-uns survivent, quelques-uns cassent les bandelettes et, bien mieux, veulent délivrer les autres. Grave sujet à délibérer, pour le peuple des morts. Car tout n'est pas perdu ; il y a d'autres liens, il y a des bandelettes d'or : carrière, mariage, formalités, relations, politesse, habit d'académicien. Pour toutes les tailles, pour toutes les forces. Entraves, filets, nœuds coulants. La chasse aux vivants, c'est le plus haut plaisir chez le peuple des morts. Il court bien ; la chasse sera longue, mais il sera pris à la fin et haut placé parmi les morts. On l'enterrera en cérémonie. Le plus sage parmi les morts fera le discours solennel : « Moi aussi, j'ai été vivant ; je sais ce que c'est et, croyez-moi, ce n'est pas grand'chose de bon. Voir comme cela, et vouloir comme cela, et agir ensuite comme cela, ce n'est que folie, allez ; que fureur de jeunesse, je vous dis ; que fièvre, que maladie. Il faut bien y entrer à la fin, dans le peuple des morts. J'étais comme vous ; j'étais parti pour la Vérité et la Justice ; cela me fatigue d'y penser. Bientôt cela vous fatiguera d'y penser. Ne vous raidissez pas ainsi ; laissez-vous mourir. Vous verrez comme on est bien. »

Les *Propos* allaient rendre célèbre le nom d'Alain. Quatre cents d'entre eux furent réunis en volumes entre 1908 et 1914.

A la veille de la guerre, Alain, qui maintenant enseignait dans un lycée de Paris, exerçait déjà par ses cours, par ses articles, par son action dans les Universités populaires, une influence occulte considérable. Un de ses élèves, le critique catholique Henri Massis, écrivait dès 1911, dans le *Gil Blas,* après la publication de la troisième série de *Propos* : « Voici des richesses, voici une œuvre bienfaisante. Voici un ami, un être qui vous aidera à vivre, à comprendre dans la joie, librement, au plein jour de votre cœur et de votre pensée, qui ne vous prendra rien de vous-même mais vous aidera à vous trouver, sans rien exiger en retour. Et je l'affirme avec d'autant plus de liberté que nous n'avons pas, lui et moi, une idée commune ; mais au fond de moi-même, je sais bien tout ce que je lui dois. »

En 1914, Emile Chartier, qui a dépassé l'âge du service militaire, s'engage comme simple soldat : il a voulu rester libre, échapper à l'obédience intellectuelle du temps de guerre. Canonnier dans l'artillerie lourde, puis légère, il mène, pendant trois ans, une vie très dure, remplie de risque, en Woëvre, en Champagne et à Verdun. Il observe la guerre de près, du point de vue de l'homme de troupe, et poursuit son inexorable analyse des passions humaines.

Blessé à la jambe en 1917, il est appelé dans le corps des météorologistes de l'armée et revient aux environs de Paris. Puis, en octobre, il est réformé et reprend le travail d'enseignement.

Un collègue et ami du philosophe, Michel Arnauld, qui pouvait tout à la Nouvelle Revue Française, avait fait publier par cette maison un recueil de « Propos » en deux volumes. Alain porta au même éditeur le *Système des Beaux-Arts,* commencé pendant la guerre. Le succès fut considérable auprès du public de l'après-guerre. Alain, comme l'auteur d'*Eupalinos* et à peu près à la même date, se trouva, sans l'avoir cherché, parmi les *leaders* reconnus du mouvement et de l'école « modernes ».

Alain rencontre Valéry aux environs de 1923. Il l'admire aussitôt, — le seul ou presque de ses contemporains qu'il ait tout à fait apprécié. Il le lit à ses élèves :

« Le *Cimetière* me transperça par son avant-dernière strophe, dont le dernier vers me parut digne des plus beaux. (*Dans un tumulte au silence pareil.*) Un jour que je récitais ce passage en classe, il m'apparut que beaucoup savaient tout le poème, et l'on m'apporta respectueusement une copie de *La Jeune Parque.* »[1]

Un peu plus tard, Alain devait rendre un intelligent hommage au poète en publiant un commentaire de *Charmes* et en préparant un commentaire de *La Jeune Parque.*

Bientôt, c'est la célébrité. Alain publie chaque année deux ou trois livres importants. Parallèlement aux austères classes du lycée Henri IV, il enseigne au collège Sévigné. Là, il a un auditoire « mêlé d'étudiants, d'étudiantes, de disciples inconnus et de gens du monde curieux ».

Il ne cessera l'enseignement que lorsque l'âge et la maladie le lui interdiront.

* * *

Alain a toujours donné à ses auditeurs, comme à ses lecteurs, une impression de santé, de vigueur et de sécurité. Un de ses disciples, parlant de la séduction physique qu'il exerçait dès l'abord, nous a dit :

« C'est un bel animal humain. Il y a en lui quelque chose de trapu et de solide qui est tout à fait réconfortant. Sa physionomie donne du bonheur. » Il est exact que tou-

---

1. *Histoire de mes pensées,* p. 215.

jours, et à tous, Alain a donné l'impression d'être maître de soi et parfaitement libre.

C'est un esprit foncièrement, fougueusement indépendant. A la fin de la guerre, le journal *L'Œuvre* lui avait demandé une collaboration quotidienne, joliment rémunérée. Au premier article il remarque une coupure qui n'était point de hasard. Alain s'enfuit en refusant de discuter :

« Jamais je n'ai admis qu'un éditeur examine mon manuscrit avant de le prendre. Il n'existe pas de moi à un critique quelconque, une lettre de solliciteur, ou seulement pour remercier. C'est moins un trait de caractère qu'une manière d'écrire, il me faut de l'espace libre, comme aux chevaux de course. »

De même Alain ne put jamais tenir dans les cercles, dans les salons littéraires, dans les assemblées ni dans les Congrès. Et il est resté à l'écart de la Sorbonne, de l'Institut et du Collège de France ; ces trois couronnes étaient à la portée de sa main, mais le geste nécessaire pour les prendre eût, à ses yeux, compromis son indépendance.

C'est un homme prudent et un sage. Il a la sagesse instinctive des paysans et du milieu normands qui ont formé son enfance. Il est équilibré. Il a toujours eu pour souci primordial de « tenir en ordre et équilibre un bon nombre de précieuses vérités ». Il a horreur de la bêtise. Il se défie des exagérations, d'où qu'elles viennent. Il n'aime pas les confidences des autres. Il est réticent sur sa vie privée.

* * *

Esprit clair, précis, amateur de raison et de réalité, explicateur plausible de toutes choses, humaniste solide, Alain a été un excellent professeur. Tous ses élèves en ont témoigné. Même ceux qui, bien rares à vrai dire, ont résisté à l'œuvre écrite, n'ont pu se retenir d'aimer et d'admirer la personnalité puissante de ce « nouveau Socrate » :

« Nous n'étions pas en classe depuis cinq minutes, » écrit un de ses anciens élèves, « et déjà nous nous sentions bousculés, provoqués, réveillés. Pendant dix mois, nous allions vivre dans cette atmosphère de recherche passionnée. » [1]

1. André Maurois, *Mémoires*, I, p. 76.

Un autre élève indiquait, quelques années après Maurois, combien « cette voix forte et rapide, la paume qui battait le large Platon posé à plat sur la table, donnaient de l'élan à ses improvisations et à nos esprits. Devant lui, nous ne pensions qu'à le comprendre, le suivre, le devancer... Aux moments heureux, je sentais ma pensée pédestre sauter à cheval, filer, bondir, se cabrer sur place aux sommets aérés... » [1]

Sa méthode est à la fois socratique et hégélienne. L'opposition est le mouvement le plus naturel de sa pensée. « Une idée que j'ai, il faut que je la nie ; c'est ma manière de l'essayer. Et s'il m'apparaît qu'il n'est pas opportun de la nier, c'est alors que je me précipite à la nier ; sans aucun scepticisme ; au contraire je suis bien sûr qu'à secouer ainsi l'arbre de la connaissance, les bons fruits seront sauvés, et les mauvais jetés à l'inutile. » [2] Cette méthode est stimulante, surprenante ; elle électrise, comme *La Torpille* de Socrate ; elle est illustrée d'exemples et d'apologues. Alain éveille dans l'âme de ses disciples, comme dans celle de ses lecteurs, une certaine inquiétude, souvent fructueuse, parce qu'aux âmes fortes elle donne le goût d'agir.

Massis disait de lui :

« Prenant les objets premiers venus, les choses les plus humbles, les choses quotidiennes, le blé qui lève, le vol d'une mouette, l'étoile des vents, les giboulées d'avril, Alain éveille nos esprits, les amène devant les faits, les excite à percevoir, à penser. Il ne veut que nous maintenir en éveil devant le spectacle du monde, nous mettre en face de nous-mêmes. »

Mais il ne cherche pas à plaire. Il pense « qu'il ne faut point mêler l'affection dans l'instruction, ce qui est simplement ne pas usurper sur les parents ». [3]

Une autre idée capitale d'Alain est qu' « on n'instruit pas en amusant », car l'imagination ne peut remplacer l'en-

---

1. Jean Prévost, Dix-huitième année (*Nouvelle Revue Française,* 1er janvier 1929, pp. 68-69).
2. *Histoire de mes pensées,* p. 34.
3. *Idem,* p. 225.

tendement. Ce qui ne veut point dire qu'il faut écraser l'intelligence par l'érudition.

Dans quelle mesure la philosophie enseignée par Alain, dans sa chaire et dans ses écrits, est-elle originale ? Il est difficile de le dire : comment analyser un système qui n'en est pas un ? Alain fait appel, pour sa philosophie, comme pour son cours de philosophie, à tous les grands philosophes qu'il a si admirablement assimilés : Descartes, d'abord, dont il admire la méthode et le rationalisme clair et puissant ; Kant, Hegel, Comte. Suivant ses propres termes, il « met les livres en pièces » et cherche à « retrouver ce que les meilleurs avaient voulu dire ».

L'essentiel, pour Alain, est de se tenir libre, puissant, prêt à saisir chaque chose comme elle est.

* * *

Cependant, parmi les grands philosophes, il en est un auquel Alain aime à revenir fréquemment : c'est Descartes, dont le *Traité des Passions* est une des lectures favorites de l'auteur des *Propos.* C'est que, pour Descartes, comme pour Alain, les passions viennent des mouvements du corps. Elles participent de la vie animale. Les *Propos,* qui les démontent, partent toujours d'un exemple concret, d'une comparaison avec la vie animale, ou d'un symbole tiré de la Nature :

« Lorsque le ver à soie, accroché aux branches de la bruyère, se met à filer autour de lui, tend des fils d'une branche à l'autre, disparaît dans un nuage de soie floconneuse, et s'enferme enfin dans un cocon où il deviendra chrysalide, on jurerait, d'après l'apparence, qu'il sait très bien ce qu'il fait. Voyez comme cette grosse tête se balance ici et là, comme s'il délibérait et mesurait avant d'attacher son fil.

... « Vous expliquiez son industrie par une fin ; mais j'en aperçois les causes. Ce n'est pas pour s'enfermer et pour s'endormir qu'il fait un cocon. Il fait un cocon parce qu'il secrète de la soie, et il s'endort parce qu'il est emprisonné. Vous supposiez bien inutilement, dans cette grosse tête, des idées et des projets qui n'y étaient point.

« Il faut proposer cet exemple à ceux qui cherchent ce que peuvent bien penser les fourmis, les abeilles, les oiseaux et les chiens. Mais mon ver à soie et son cocon peuvent instruire aussi ceux qui cherchent à deviner les idées d'un homme d'après ses actes. Car il ne manque pas de généraux qui font leur plan après la victoire, ni d'hommes d'Etat qui dressent leurs projets quand ils sont retirés à la campagne, et en considérant ce qu'ils ont fait. Ce n'est pas parce qu'ils hochent gravement la tête que je serai leur dupe ; je ne prendrai point l'hésitation pour délibération. Pendant qu'ils se donnent l'air de penser, le fil sèche ; et il faudra bien qu'ils fassent leur cocon selon les circonstances. Une fois dedans, et déjà momies, ils disent qu'ils l'ont fait parce qu'ils l'ont voulu ; mais je crois qu'ils l'ont voulu parce qu'ils l'ont fait. » [1]

Un autre emprunt au concret est cette élégante comparaison nautique :

« Le bateau qui se penche au souffle du vent et file en divisant l'eau, c'est une jolie machine. Le vent agit sur la voile inclinée ; la quille résiste, et le bateau glisse dans la direction de la quille, sous la pression du vent. Par cette marche oblique, il gagne un peu contre le vent ; bientôt il vire de bord et recommence ; ainsi le vent lutte contre le vent ; voilà une élégante victoire, due à l'adresse et à la patience. Tirer des bordées, c'est toute la politique de l'homme contre les forces naturelles. » [2]

Le paysage normand, sa campagne grasse et fraîche, est le cadre où le philosophe se plaît à penser :

« Imaginez une étroite vallée, des pentes boisées, les cultures un peu plus bas, les prés et la rivière, au déclin du jour, une ornière brillante de soleil, toutes les couleurs avivées par la pluie. Un petit train de campagne me promenait d'un tableau à l'autre, sous des nuages changeants. Les peuples du Midi ont célébré la lumière, mais ils ont ignoré la couleur. » [3]

---

1. *Les Propos d'Alain* (Nouvelle Revue Française, éd. 1920), Tome I, pp. 59-60.
2. *Idem,* pp. 65-66.
3. *Idem,* Tome II, p. 141.

Dans ce cadre champêtre, nous ne sommes pas surpris de trouver, personnage et symbole, un vigoureux cheval :

« ... Imaginez un bai brun dans toute sa force, bien nourri, bien brossé, luisant au soleil. Il n'existe pas d'image plus saisissante de la puissance. Le large ventre, où les sucs végétaux sont cuits, recuits, concentrés, pour faire du sang et de la chair ; la haute poitrine, qui est comme le soufflet de cette forge ; les plis magnifiques du cou ; les masses musculaires de la croupe, si promptes à l'action qu'une mouche y fait passer comme des vagues ; les sabots durs cerclés de fer... » [1]

La description, chez Alain, est de première importance. Il étudie l'aspect extérieur, les attitudes, les métiers et en tire une morale.

Chaque *Propos,* en effet, est une sorte de fable morale à la manière de La Fontaine. La leçon y est tirée des faits et des données de la réalité. Le but en est une morale de métier, de fonction, insistant sur la discipline qui vient de la volonté, de l'exercice, du jeu.

D'où l'importance de celui-ci :

« Successivement, selon les saisons, dans un ordre immuable, à des époques fixes, apparaissent la corde à sauter, la toupie, les billes, la marelle. Personne n'en parle ; on n'en délibère point ; on ne décide point. La chose se fait toute seule ; nul n'en pourrait donner la raison ; nul ne la demande ; les migrations d'oiseaux doivent se faire ainsi.

« Pendant que l'adolescent oublie les traditions et entre dans la vie humaine, qui est invention et changement, les petits apprennent la tradition et la maintiennent, sans même y penser. » [2]

De même origine que le jeu, et de même importance sociale et individuelle par leur discipline sont les cérémonies, les fêtes, les modes.

La morale d'Alain aboutit à une conception du bonheur fondée sur les réalités et les mouvements du corps. Si l'on est triste, malheureux, c'est que le corps est malade (« La

1. *Idem,* Tome I, pp. 66-67.
2. *Idem,* Tome I, p. 103.

profonde tristesse résulte toujours d'un état maladif du corps »).[1] Faire et non pas subir, tel est le fond de l'agréable. On reçoit peu de plaisir de la musique si l'on se borne à l'entendre et si on ne la chante pas du tout. « On dit que le bonheur nous fuit toujours. Cela est vrai du bonheur reçu parce qu'il n'y a point de bonheur reçu. Mais le bonheur que l'on se fait ne trompe point. »[2]

* * *

L'esthétique d'Alain est, comme le reste de sa philosophie, essentiellement réaliste. On en trouvera l'essentiel dans le *Système des Beaux-Arts,* qui est peut-être le chef-d'œuvre du philosophe. Pour celui-ci, le modèle de l'œuvre d'art n'est ni au dedans ni dans la nature intérieure, il est dans l'œuvre même. La fonction de l'Art est de discipliner l'imagination, de la sauver de la folie du Rêve pur en la liant au Réel : « Le marbre est souvent plus l'homme que ne l'est l'homme même, et par un travail d'ouvrier qui se trouve être au niveau de l'analyse la plus rigoureuse, car il s'agit bien de vaincre les apparences et de mettre au jour une nature d'hommes, sans les vains accidents. »[3]

Aux yeux d'Alain, l'artiste est avant tout un artisan, un homme qui sait un métier et qui aime son métier. L'art de l'architecte est parent de celui du potier, « car certainement un beau vase exprime une condition d'équilibre et de solidité, comme une voûte ».[4] L'architecture est un art qui ne ment point, car « l'utilité doit y être la règle de tout, comme on peut le voir pour la colonnade, qui est un écran contre le soleil, pour l'ogive, qui forme une voûte plus solide que le plein cintre, et pour les arcs-boutants qui résistent à la poussée des voûtes. Mais la solidité et on dirait presque la sincérité des monuments éclate encore mieux par leur grandeur et par leur masse ; c'est pourquoi on peut aller jusqu'à dire que la beauté architecturale dépend beaucoup de la masse dressée ».[5]

---

1. *Propos sur le Bonheur,* p. 20.
2. *Idem,* p. 145.
3. *Système des Beaux-Arts,* p. 230.
4. *Histoire de mes Pensées,* p. 191.
5. *Système des Beaux-Arts,* p. 175.

L'art n'est pas un jeu, mais plutôt un métier, une religion, une prière.

L'art de la prose est le plus difficile, mais aussi le plus beau. Dans sa perfection, il atteint à la simplicité, à la sobriété, à la force.

« Un puissant écrivain se mesure à ceci que, dans sa manière d'écrire, il n'y a pas d'apparence. J'entends qu'il faut le comprendre parfaitement ou ne rien comprendre du tout. Une mauvaise prose, au contraire, est pleine d'apparitions et de visions, chaque mot brillant et dansant pour son compte, ou bien formant des jeux et des rondes avec ses voisins, ce qui dans le récit rompt le mouvement et dans l'analyse fait qu'on rêve au lieu de juger. Le lecteur s'arrête partout comme au musée et toutes ces visions du coin de l'œil s'évanouissent au regard direct. Telle est la misère du style orné. »

D'autre part, l'écrivain est celui qui « par une large culture, par une connaissance d'œuvres à valeur universelle éprouvée, donne à l'événement une signification universelle ». [1]

Parmi ceux qui écrivent, il en est qui ont un rôle particulièrement important : ce sont les poètes. Car si « la marche naturelle de la pensée va toujours du sentiment à l'idée », c'est dans le poète que nous trouvons l'idée véritable.

Les goûts littéraires d'Alain sont à la fois simples et complexes. C'est l'homme de peu d'auteurs. Sa bibliothèque se compose de quelques philosophes (Platon, Descartes, Spinoza, Hegel), de quelques auteurs de l'antiquité (Homère, Tacite) et d'une demi-douzaine de modernes : Saint-Simon, Stendhal, Hugo, Claudel, Valéry et surtout Balzac, robuste et solide comme lui. Alain est un balzacien dévot. Il a lu et relu *La Comédie Humaine* et la cite sans cesse. « J'ai plus appris dans Balzac, » dit-il, « que dans les philosophes et les politiques. Car Balzac me rejetait dans l'expérience même, sur laquelle se fondent quelquefois les

1. *Avec Balzac*, p. 78.

philosophes, mais qu'ils ne savent pas conserver en leurs ouvrages. »[1]

Il peut paraître étonnant qu'Alain ait aimé Hugo. Mais, quand on y réfléchit bien, on trouve des affinités entre ces deux esprits réalistes et moralisateurs, entre ces deux professeurs de leçons de choses et de leçons de morale. En Hugo, qui l'a toujours enivré, en Tolstoï, en Romain Rolland, Alain aime les prophètes à l'aide desquels « on enjambe le monde, on réchauffe la partie noble de soi-même, on s'imagine incorruptible et invincible ». Mais Proust n'est, pour Alain, qu'un « parfait amusement ». Il y a loin, en fait, non seulement de la pensée de Proust à celle d'Alain, mais aussi d'un style à l'autre. Le *Propos* est aussi peu proustien que possible. Il est aussi bref, aussi net, aussi désarticulé que la période de Proust est longue et enchaînée dans le flot du souvenir. Alain refuse de former, d'accueillir les fantômes. Il part, nous l'avons vu, d'un fait divers, d'un événement réel, banal, d'actualité, et il y applique son bon sens affranchi de souvenir, de croyance, de préjugé.

* * *

Politiquement, Alain est un radical indépendant, qui a écrit les *Éléments d'une doctrine radicale.* Sa position procède, là encore, d'une sorte de rationalisme réaliste. L'Ordre existe. La pensée ne peut le changer qu'en lui obéissant. Position ferme et instable qui définit la politique réformatrice — c'est-à-dire *radicale* — telle qu'Alain l'entend.

Alain ne croit guère à l'histoire ni au progrès. Il pense que, du fait de la structure immuable de l'homme, tout revient le même sous d'autres noms. Mais « que l'on ait toujours le même durcissement à vaincre, cela ne veut pas dire qu'il ne faut pas le vaincre. Seulement, je ne suis pas possédé par la mystique du changement pour le changement. Je me mets, comme je dis souvent, au pas de la vache, et j'aime la révolution insensible qui en apparence nous remet dans la même ornière ; par exemple, que la petite propriété sauve de nouveau la propriété, voilà à mes

1. Frédéric Lefèvre, *Une Heure avec...*, 2e série, p. 134.

yeux le mouvement humain, et je veux bien dire le lent retournement de l'esprit ».[1]

Périodiquement, les libertés sont mises en péril, soit par les guerres, soit par les crises économiques, soit par les querelles civiques. Il faut les sauver « dans la tranchée même, j'entends au plus près des obstacles, et par des mesures ajustées aux métiers. »[2] Il faut sans cesse lutter contre la tyrannie. Il faut que le citoyen se dresse « contre les pouvoirs ». Et Alain lui a donné l'exemple en exerçant ses droits civiques de critique des pouvoirs établis dans la presse de province — peut-être la plus importante en France sous la Troisième République.

André Maurois note, dans ses *Mémoires,* que son professeur de philosophie au lycée de Rouen « avait des passions politiques étroites, vigoureuses, et il les avouait. Il était radical, avec un côté Julien Sorel. Mais son radicalisme était moins un désir de réformes que la vigilance permanente du citoyen dressé contre les pouvoirs. Il tenait à la liberté plus qu'à l'égalité et pensait que, si la liberté de l'esprit demeurait entière, elle suffirait à maintenir l'égalité devant la loi, la seule à laquelle il fût attaché ». Maurois ajoute qu'Alain, grand lecteur d'Auguste Comte et de Balzac, croit, lui aussi, « à la nécessité des cérémonies, au respect des coutumes. Alain était peut-être anticlérical, mais il était certainement religieux. Peu d'hommes ont su parler mieux du christianisme. En fait c'est lui qui, le premier, m'a révélé la grandeur de la doctrine chrétienne et m'en a fait accepter une si large part ».[3] Il n'y a point de pensée sans culture, ni même sans culte.

* * *

L'auteur de *Mars* juge la guerre sans indulgence. Pour lui, le pouvoir absolu corrompt plus ou moins tous ceux qui l'exercent et la partie de l'homme qui aime les honneurs, le pouvoir, la guerre, est niaise.

---

1. *Histoire de mes Pensées,* p. 244.
2. *Idem,* p. 251.
3. *Mémoires,* I, pp. 77, 78.

« L'état de guerre veut des ressorts violents, et un oubli de l'humain... A mesure que je découvrais les théorèmes du commandement, je voyais la guerre encore plus laide, par ce préalable massacre des âmes. »[1] Alain ne croit pas aux « grandes affaires » et pour lui « la ruse d'un Napoléon ressemble à celle d'un marchand de marrons ».[2]

Un jour, au front, il gagna « un fromage, un café et un verre de fine par une réplique qui mit en joie un cuisinier de la coloniale. Il disait, pour conclure ses raisonnements de cuisinier : « On les aura. » Je lui dis : « Et quand on les aura, qu'est-ce qu'on en fera ? » Il se tapait les cuisses, répétant cette formule neuve. Encore neuve aujourd'hui en 1935 ».

Alain estime qu'il est « ridicule de faire massacrer les meilleurs hommes jusqu'à ce que l'ennemi soit las de tuer ». Il regrette que les révolutionnaires n'aient pas poussé assez loin l'étude de ces choses. « Hélas ! avec Jaurès, l'armée nouvelle était pire que l'ancienne. Ce travail est tout à reprendre ; et n'attendons pas que tous les combattants soient morts. »[3]

Quelles sont donc les causes véritables des guerres ? Ce ne sont pas des raisons économiques : on peut toujours arranger ces choses-là. Non, la guerre est issue des passions de l'homme. Nous savions, avant même les romans de Barbusse ou de Remarque, les relations qui existent entre les passions basses de l'homme et la guerre. Mais il ne s'agit pas seulement de peur, de cupidité, d'égoïsme ou de bêtise. Il y a aussi des relations entre la guerre et les passions nobles : l'orgueil, la ténacité, la force. Les causes des guerres, telles que l'histoire les analyse, ne sont que des *occasions*. On ne se bat peut-être pas pour le blé, le coton ou le pétrole. Le vrai moteur des guerres, c'est le sentiment de l'honneur. « Cela tout le monde le dit ; mais tout le monde dit aussitôt tout à fait autre chose, à savoir que la guerre vient de convoitise et de barbarie, les deux se tenant de près. Il faut

1. *Histoire de mes Pensées*, p. 175.
2. *Idem*, p. 47.
3. *Idem*, pp. 176, 184.

d'abord mépriser cette opinion faible et même ridicule d'après laquelle les guerres résulteraient d'un vil calcul de voleur en chaque homme ; et au contraire mettre en pleine lumière ces mouvements de l'homme outragé, qui donnent aux groupes aristocratiques, matériellement faibles, une puissance sans mesure. »

Mars est un livre sévère, — peut-être trop sévère, — intelligent, sincère et stimulant. Mais il n'offre point, de toute évidence, de remèdes pratiques immédiats pour établir la paix. Il se borne à montrer que la guerre est nécessairement injuste et inhumaine et à demander aux hommes de « regarder de près l'horrible chose. On puiserait là un genre de courage, un rappel de raison, enfin cette longue patience, cette tempérance devant l'enthousiasme, qui sont les vrais moyens de sauver la paix, un jour après l'autre ». [1] Plus tard, dans *Echec à la Force,* Alain résumera ainsi sa position : il faut que l'homme juge et méprise « les entreprises que l'on essaie sur la partie sublime de lui-même. Il est dur de se méfier des bons sentiments ; mais il suffit de penser à ceux qui en font métier et marchandise. Donc contrarier les ordres de l'épouvante, qui sont les mêmes que ceux de l'enthousiasme, et en quelque sorte les amortir sur soi. La paix est à ce prix ». [2] Ces lignes, par une étrange ironie des choses, étaient publiées à la veille de la guerre de 1939.

* * *

Si l'on pousse jusqu'au bout la pensée d'Alain, on aboutit à une ébauche de métaphysique de la liberté. Dans les *Entretiens au bord de la mer,* tout revient toujours à l'idée de liberté, « la seule qualité occulte ».

Guerre et politique sont du dehors. Il n'y a de guerre que contre soi, il n'y a de peur que de soi, il n'y a de force qu'en soi, il n'y a de conscience que de soi.

« Alors, il faut donc croire ?

— Qu'est-ce que croire ? demanda le vieillard. Croire n'est que terre et chose, si l'on ne sait ce qu'on croit.

---

1. *Mars,* p. 36.
2. *Echec à la Force,* pp. 310-311.

— Croire, repris-je, croire que le monde nous aidera si nous ne nous aidons, c'est cela qui est défendu. Ne pas croire, mais changer. Au contraire, à l'égard de l'esprit, croire, et ne point changer. »

D'où la définition de Dieu :

« Un Dieu qui n'a rien à donner que l'esprit ; un Dieu absolument faible et absolument proscrit, et qui ne sert point, mais qu'il faut servir au contraire et dont le règne n'est pas arrivé, voilà le fond — de la vraie et de la seule religion. »

* * *

Tel est Alain. Dans une époque riche en professeurs et en philosophes, il a été un remarquable professeur de philosophie et, d'une façon plus générale, un excellent pédagogue. Il a su expliquer et faire la synthèse des richesses philosophiques. Il a aussi essayé d'expliquer la guerre et la beauté, la politique et les passions. Socratique et cartésien, philosophe et journaliste, il a lutté contre les « marchands de sommeil ». Il s'est attaqué à ceux qui péchaient contre l'Esprit. Il a entraîné les intelligences à dissoudre les habitudes mécaniques, réinventer leur morale et leur politique, remettre leur philosophie sur la terre. On conçoit l'influence d'un tel « accoucheur d'idées » sur les générations successives.

Il a eu ses fervents, et ceux-ci ont propagé son influence. Mais on peut se demander si son rôle n'a pas été inférieur à sa légende. Il n'a pas été un créateur. Il n'a guère eu de grandes idées ni de grandes envolées. A-t-il même proposé à ses élèves autre chose qu'une « morale d'artisan » assez fragmentaire, se limitant à des cas particuliers, et un vague scepticisme ? En politique, ses disciples « radicaux » ont été tantôt des semi-anarchistes, tantôt des ultra-pacifistes, tantôt des modérés sans épine dorsale, très souvent des faibles et des abouliques. Lui-même, à la veille de la guerre de 1939, avait fini par prendre une position « au-dessus de la mêlée ». Cet aboutissement n'était peut-être point celui qu'on eût rêvé pour le pilote de tant de jeunes équipages.

CHRONOLOGIE DE VALÉRY LARBAUD
(né en 1881)

1897 *Les Portiques* (Cusset, Allier)
1908 *A. O. Barnabooth, poèmes d'un riche amateur* (Messein)
1911 *Fermina Marquez* (Fasquelle)
1913 *A. O. Barnabooth* (complet) (Gallimard)
1918 *Enfantines* (Gallimard)
1924 *Amants, heureux amants* (Gallimard)
1927 *Allen* (Aux Aldes)
Jaune, Bleu, Blanc (Gallimard)
Ce vice impuni, la Lecture (Messein)
1929 *Deux artistes lyriques* (Gallimard)
1932 *Technique* (Gallimard)
1938 *Aux couleurs de Rome* (Gallimard)

VALÉRY LARBAUD

« *Ah ! il faut que ces bruits et que ce mouvement*
Entrent dans mes poèmes et disent
Pour moi ma vie indicible, ma vie
D'enfant qui ne veut rien savoir, sinon
Espérer éternellement des choses vagues. »

(Les Poésies de A. O. Barnabooth)

« *Entre le monde et nous mettre un intervalle et ne pas permettre au monde de le franchir ; mais de temps à autre le traverser, aller voir de près quelque objet qui nous a paru intéressant, le connaître et rentrer dans notre monde à nous.* »

(V. L.)

Valéry Larbaud n'a jamais été un écrivain populaire : son nom, chéri par une élite de lecteurs, a été à peine connu du grand public de l'entre-deux-guerres. Mais un écrivain original et vivant se passe fort bien de publicité. Le *Larbaud-club,* que d'aucuns ont proposé de fonder, existe déjà, depuis longtemps, dans le silence. Pourtant, Larbaud s'est toujours dérobé devant la gloire, a toujours évité les banquets et les comités, la hâte et la facilité. Il n'a jamais ajouté son mot à celui de ses confrères sur les problèmes de l'actualité. Entre plusieurs revues, il a souvent choisi, pour y écrire, les moins répandues. [1] Il n'a écrit que ce qu'il voulait écrire, et quand il le voulait. Il n'a eu qu'une ambition, assez modeste au fond : celle qu'il a dévoilée lorsqu'il a exprimé l'espoir de trouver place, quelque jour, dans une *Anthologie.* Ainsi, dans certains florilèges du XVIIème siècle, un écrivain qu'il aime, Antoine de Nervèze, est glissé pour quelques pages. Le rêve de Larbaud aura été de trouver place, lui aussi, parmi les « petits oubliés » du commencement du XXème siècle.

---

1. Larbaud a collaboré activement aux revues suivantes : *La Plume, La Phalange, La Nouvelle Revue Française, Les Cahiers d'Aujourd'hui, L'Effort Libre, La Revue de France, Littérature, Les Ecrits Nouveaux, Intentions.* En 1924, il a fondé, avec Valéry et Fargue, la revue trimestrielle *Commerce.*

Valéry Larbaud est né à Vichy en 1881. Son enfance se trouva partagée entre sa ville natale, la campagne et la capitale. Il était de santé délicate et ce fils unique fut, de la part des siens, l'objet d'une sollicitude inquiète. Son père, fort heureusement, avait réussi à acquérir une fortune assez considérable, grâce à la découverte d'une source thermale qui porte encore le nom de son premier propriétaire. Les soins et l'aisance qui l'entourèrent ont exercé une grande influence sur son œuvre. Ce n'est pas un de ces robustes écrivains prolétariens qui n'ont qu'à puiser dans leurs souvenirs d'enfance et, nouveaux Tarzan, à se frapper la poitrine pour en faire jaillir des descriptions de milieux populaires. On voit rarement un personnage de Larbaud aux prises avec la pauvreté. Ses héros possèdent les moyens de vivre et cherchent seulement à en tirer parti intelligemment.

Dès l'âge de huit ans, le jeune Larbaud était grand lecteur. Il le restera toute sa vie et ses lectures joueront dans sa formation un rôle de premier plan. Cet écrivain extrêmement cultivé saura reconnaître ses pareils : quand il étudie un écrivain, il jette un coup d'œil sur le contenu de sa bibliothèque. La sienne, fort abondante, atteste l'ampleur, la variété de ses explorations. Un de ses biographes nous a révélé que « plus de 20.000 volumes ont été réunis à Valbois par ses soins. La couleur de ses livres fait connaître leur lieu d'origine. Les livres espagnols sont jaune et or, les italiens blanc et vert, les argentins bleu et blanc, etc. C'est une assemblée de drapeaux ». [1]

Larbaud fit ses premières études au collège de Sainte-Barbe des Champs, à Fontenay-aux-Roses. Un bon nombre de ses camarades étaient des étrangers et, plus particulièrement, des hispano-américains. Il connut ainsi tout jeune les « descendants des Conquistadors » et se familiarisa assez vite avec la langue espagnole. Plus tard, évoquant ce milieu, il dira à Francisco Contreras :

« Les Américains se faisaient remarquer par leur entrain, leur audace et la promptitude de leur intelligence. Ils étaient plus précoces que nous autres Français, et leur caractère était

---

1. M. Thiébaut, *Evasions Littéraires*, p. 52.

plus tôt formé. Je les admirais beaucoup et, mes premières lectures classiques m'y aidant, je voyais en quelques-uns d'entre eux des héros comparables à ce qu'avaient pu être, à leur âge, des personnages comme Alcibiade et les disciples de Socrate. Depuis lors, le monde espagnol a été pour moi quelque chose comme ma seconde patrie. » [1]

Le jeune Larbaud aimait les drapeaux. Et il lui suffisait d'apercevoir le pavillon espagnol pour que son cœur battît. Hugo, Musset, Gautier, l'avaient fait rêver déjà de guitares, de mantilles et de sérénades. *Pépita* lui avait révélé un Victor Hugo de huit ans amoureux d'une Espagnole de seize. Sur les promenades de Vichy, dans les hôtels des villes d'eaux où ses parents le conduisaient l'été, il était fasciné par les jeunes Castillanes ou les charmantes Argentines. Et il faisait serment tout bas d'apprendre à fond l'espagnol, qu'il n'était pas loin de considérer comme la langue même de l'amour.

A quinze ans, il fit son premier voyage en Espagne. Il arriva à Séville pendant la Semaine Sainte. Une statue de sainte Rose de Lima, au sourire languide, retint longtemps son attention : ses voiles de pierre peinte paraissaient entourés d'une atmosphère sacrée et exotique. Il résolut sans doute alors d'en faire la sainte préférée de la jeune héroïne à laquelle il songeait déjà, la petite Colombienne aux boucles noires qui devait animer le roman de *Fermina Marquez*.

Cependant il s'intéressait aussi à tous les aspects de l'Art, des Lettres et même des Sciences. Il s'efforçait d'assimiler en même temps la littérature grecque, la géologie, la philosophie. Surtout, il voulait voyager. A seize ans, on lui permit d'entreprendre, accompagné de l'intendant de sa famille, une grande expédition en Turquie, en Russie, en Allemagne. Puis ce fut de nouveau l'Espagne. Larbaud réalisa enfin son rêve : savoir suffisamment l'espagnol pour pouvoir s'éprendre à loisir d'une jeune Madrilène.

A vingt et un ans, il entre en possession de l'héritage de son père. Il quitte alors la Sorbonne, où il avait commencé des études à la Faculté des Lettres, et la France :

---

1. F. Contreras, *Valéry Larbaud*, pp. 10-11.

pendant cinq ans, il voyagera en Italie, en Autriche, en Allemagne, en Suède, en Espagne. Ensuite, il partagera son temps entre de longs séjours en Angleterre, en Espagne, en Italie, des voyages aux pays scandinaves, en Grèce, en Algérie, et des arrêts en France, à Paris ou dans le Bourbonnais.

Nombreux sont les jeunes gens qui ont aimé les voyages. Nombreux aussi ceux qui ont lu avec fureur. Mais au travers des confidences de Larbaud, derrière l'atmosphère cosmopolite de ses livres et l'internationale de ses héros, nous devinons en lui une frénésie de travail exceptionnelle et un extraordinaire désir d'étreindre le monde, de forcer toutes les frontières intellectuelles. La plupart des biographes de Larbaud ont noté avec justesse que si l'on néglige quatre petits récits, toutes les œuvres d' « imagination » de Larbaud sont consacrées à l'enfance, à l'adolescence, aux tout jeunes hommes. C'est qu'il a, de toute évidence, connu la nostalgie de ces années lumineuses. Il a été marqué par elles. Il a passé à les revivre le meilleur de sa vie. Elles lui ont fourni la plupart de ses personnages.

Larbaud, cependant, approchait de l'âge où l'on choisit une profession. Il voulait être écrivain. Et l'on s'inquiétait passablement, dans le Bourbonnais, de ses « bizarreries ».

Il avait commencé à écrire dès son enfance. A Sainte-Barbe-des-Champs, il avait écrit, entre 1893 et 1894, un petit conte féerique sur la vie du collège, *El Duendecito*. Puis il imagina un drame inspiré à la fois de l'histoire romaine et d'un procès sensationnel du moment, *Gordien III*. Entre 1897 et 1900, il composa un *Petit manuel d'Idéal pratique*.

Il s'essayait aussi à la poésie. Il avait à peine quinze ans lorsque sa famille fit imprimer, à Cusset, un petit recueil de ses poèmes, *Les Portiques*. On y pouvait déceler une influence directe du Parnasse. Mais déjà le jeune homme avait découvert Verlaine et écrit quelques jolis morceaux symbolistes.

Larbaud, d'ailleurs, disait ne pas songer à une carrière d' « homme de lettres », car, déclarait-il, « ce n'est pas un titre à mettre sur une carte de visite » et « tous ceux qui aiment les livres peuvent se dire hommes de lettres ». Cette déclaration révélait sa modestie. Il allait confirmer cette qualité en renonçant à se plonger immédiatement dans la composition d'une grande œuvre. Il voulait attendre d'avoir atteint une plus grande maturité. Dans l'intervalle, il convenait d'observer la continence.

Or, à l'âge où l'on compose de très mauvais romans, on peut faire d'utiles et honnêtes traductions. Larbaud décida de révéler à ses compatriotes les grands écrivains étrangers. A vingt ans, oubliant qu'il était déjà poète et romancier, il commença sa grande tâche de traducteur en publiant la version française de la *Chanson du vieux Marin* de Coleridge (1901), ce fameux poème « de neige, d'émeraude et de silence ».

Larbaud réussit à rendre admirablement le rythme, le pouvoir de suggestion, la qualité de mystère et la grandeur du poème. Sa traduction n'en est pas moins extrêmement précise et fidèle :

« Le navire, salué d'acclamations, sortit du port.
Joyeusement nous laissâmes
Derrière nous l'église, puis la falaise,
Puis la tour du fanal.

Le soleil se leva sur la gauche,
Hors de la mer il s'éleva !
Il rayonna, puis sur la droite
Descendit dans la mer...

Alors vinrent ensemble le brouillard et la neige
Et il fit un froid étonnant,
Et des blocs de glace, aussi hauts que le mât,
flottèrent autour de nous,
Verts comme de l'émeraude... »

Dix ans plus tard, Larbaud traduira un fragment important de *Hautes et Basses Classes en Italie,* de Walter Savage Landor. L'ouvrage, composé à Florence et en Angleterre aux environs de 1835, est un de ces chefs-d'œuvre délicieux connus du petit nombre. Le héros, un jeune Anglais, s'éprend de Serena Bruchi, une petite Italienne qui n'est pas sûre « d'avoir tout à fait quatorze ans ». Le naïf séducteur écrit à son père, le Révérend William Talboys, pour lui demander d'épouser Serena. Sa lettre commence par cette profonde réflexion que « le célibat ne saurait être l'état d'un homme raisonnable et il est rarement celui d'un homme heureux ». A quoi le père répond : « Edward, Edward, une lettre qui commence par des réflexions morales ne finit jamais bien. »

Cette traduction de Landor révèle doublement Larbaud, par le fond et par la forme : celle-ci, pure, subtile, délicate, celui-là, marqué par une psychologie fouillée et une grande sûreté d'analyse dans le caractère de la fillette et de la jeune fille.

Par la suite, Larbaud donnera de très belles traductions de James Joyce, de Samuel Butler et de Ramon Gomez de la Serna. Il sera — nous aurons l'occasion d'y revenir — l'un des meilleurs interprètes français des grandes littératures étrangères du XXème siècle.

* * *

Cependant, dès 1906, Larbaud avait commencé à faire œuvre d'écrivain original avec *Le Couperet,* une nouvelle d'une grande pénétration psychologique, parue dans la revue *La Phalange.* D'autres récits furent publiés dans la *Nouvelle Revue Française* vers 1910. Ces nouvelles furent plus tard réunies en volume et publiées, en 1918, avec ce simple titre : *Enfantines.*

Enfantines est un petit livre d'une délicieuse poésie. C'est aussi l'un des plus jolis ouvrages qu'un écrivain ait jamais consacrés aux enfants ; un des plus neufs aussi, car le genre est encore assez rare à l'époque où écrit Larbaud. C'est le roman de l'imagination enfantine, de cette imagination qui transforme tout, êtres et choses, et alimente le rêve.

Milou, le petit héros du *Couperet,* a huit ans. Il vit dans la maison de ses parents en compagnie de deux êtres imaginaires, Rose et Dembat. « Ce n'est pas assez de dire que

Dembat est l'ami intime et le frère de Milou. Il est Milou lui-même, mais invisible, et devenu homme : libéré de la réalité et projeté vers l'avenir. Dembat parcourt tous les pays qu'on voit sur les cartes et dans les livres du lieutenant-colonel Galliéni. (Milou n'aime pas Jules Verne, parce que ce n'est pas arrivé.) Dembat est un homme d'action : il va voir comment le Monde est fait. Il a un casque blanc sur la tête ; il s'avance à travers le Fouta-Djallon ; il visite les pays des Peuls et des Toucouleurs. Quatre fois déjà on l'a vu remonter le cours du Niger. » Quant à Rose, c'est « cette enfant... qu'un Arabe avait, par vengeance, volée à ses parents. Elle s'est évadée du gourbi, mais en arrivant près du camp français, la sentinelle a fait feu et la fillette est tombée évanouie, un bras cassé. Elle est très blonde et bien douce... Elle souffre encore de son bras cassé. Mais Milou et Dembat l'ont recueillie et la protègent, et elle n'est presque plus malheureuse ». Lorsque Emile s'assied sur un banc, Rose et Dembat viennent se placer auprès de lui, sans que ses parents perçoivent leur présence : les grandes personnes ne voient rien, ne se doutent de rien.

L'un des jeunes garçons d'*Enfantines* converse, en attendant son professeur de solfège, avec *la Figure* cachée dans les veines du marbre de la cheminée. Lui seul a pu distinguer dans la pierre la forme de cette captive. Il demeure longtemps à la contempler sans bouger : « Noble figure, » se demande-t-il, « quand cessera ton enchantement ? » L'enfant part dans les bois en promenade avec la Figure enfin libérée. Il s'enfonce avec elle « dans la verte noirceur », la guide au milieu des taillis, le long des sentiers « aux mille secrets » où dorment des rayons, et soudain il se trouve avec elle « sous les pins, la garde impériale des bois, immobile et haute, avec ses étendards et ses fanions rouge et or ».

L'enfance, a-t-on dit, anime toutes choses et crée pour son plaisir une nouvelle mythologie. Quelle meilleure illustration pourrait-on fournir de cette loi que les contes de Larbaud ? Ici, les fenêtres sont « les yeux vides » des chambres, et sur le parquet, le ciel « se répand en flaques bleuâtres », semblable aux petits garçons qui disposent leurs soldats, le soir « dresse son camp dans le jardin » et « place un rayon en sentinelle à chacune des fenêtres de la maison ».

Les enfants eux-mêmes subissent mille métamorphoses, accomplissent des voyages merveilleux à travers l'espace et le temps. L'un d'eux, Arthur, chante :

« Dansez Bamboula
Dansez Canada
Touzou
Comme ça. »

Le voici bientôt qui devient un vrai Bamboula, un homme tout noir, frappant le sol de ses talons et dansant presque nu sur la place d'un village du Canada. « A ce moment si on avait demandé quelque chose à Arthur, il n'aurait pas répondu : il ne savait pas le français ; il aurait poussé quelques cris étranges. »

Larbaud, enfant, composait des vers pour les petites filles qu'il aurait voulu embrasser. Dans *Enfantines,* l'amour n'est pas oublié. De même que chez les adultes, il peut aller jusqu'à la cruauté et la violence. Plus tard, ces passions seront depuis longtemps oubliées, lorsque ceux qui en ont souffert croiront aimer pour la première fois. Mais à douze ans, Rose Lourdin est follement amoureux de sa camarade Rosa Kessler et Emile Raby, à huit, se frappe la main d'un couperet pour être semblable à la petite bergère aux doigts mutilés qu'il aime à la folie. Ces passions, d'ailleurs, restent ignorées. Les parents les soupçonnent à peine. Mais que savent les parents ? « On dirait qu'ils ne nous ont pas connus. Ils racontent aux étrangers des anecdotes sur notre petite enfance, dans lesquelles nous ne retrouvons rien de ce que notre souvenir a gardé. Ils nous calomnient. On dirait même parfois qu'ils ont pris, pour nous les attribuer, des mots d'enfant qu'ils ont lus dans des livres. Cela nous rend honteux, devant les gens ; mais comme nous sommes très lâches, nous rions de nous, même avec les grandes personnes. Heureusement, une pensée, que nous gardons pour nous, nous console et nous venge : *elles n'ont pas vu la Figure.* »

Dans le dernier conte, Eliane, l'héroïne, a quatorze ans. Elle est à la limite du monde enfantin. Nubile, elle commence à regarder du côté des grandes personnes. Elle a, dans son esprit, cent « bien-aimés » qui, explorateurs, princes ou militaires, l'entraînent dans de grandes aventures. Le soir, elle regarde longuement la planche de l'Homme Nu du Petit Larousse illustré. C'en est fait de ces grandes passions enfantines, ignorantes, candides et pures. L'enfance est terminée, les mondes imaginaires disparaissent peu à peu, l'adolescence commence.

* * *

C'est à cet âge de l'adolescence qu'est consacré presque entièrement le roman de *Fermina Marquez,* commencé en 1906, achevé en 1909 et publié en 1911.

Fermina Marquez est un petit roman, ou, si l'on veut, une grande nouvelle. Larbaud, qui travaille comme Mérimée, a récrit et réduit incessamment son manuscrit, pour toujours faire plus court et meilleur.

On trouve aussi chez Larbaud, comme chez Mérimée, un vif souci de la perfection. Et comme Mérimée, Larbaud est incliné vers l'exotisme et les littératures étrangères. Comme Mérimée, il chérit l'Espagne. « Le monde castillan, » a-t-il dit, « fut notre seconde patrie et nous avons, des années, considéré l'Espagne et le Nouveau Monde comme d'autres Terres saintes ». L'amour de l'Espagne domine l'atmosphère du livre.

Fermina, c'est la sœur du petit Marquez, un des élèves de saint Augustin — une institution d'enseignement qui ressemble à s'y méprendre à Sainte-Barbe des Champs, où étudia Valéry Larbaud.

Elle est, comme toutes les héroïnes de Larbaud, admirablement dépeinte dans sa charmante et trouble jeunesse :

« ... nous ne trouvions pas de mots pour exprimer sa beauté, ou plutôt nous ne trouvions que des paroles banales qui n'exprimaient rien du tout, des vers de madrigaux : yeux de velours, rameau fleuri, etc.

« Sa taille de seize ans avait à la fois tant de souplesse et de fermeté ; et ses hanches, au bas de cette taille, n'étaient-elles pas comparables à une guirlande triomphale ? Et cette démarche assurée, cadencée, montrait que cette créature éblouissante avait conscience d'orner le monde où elle marchait. Vraiment elle faisait penser à tous les bonheurs de la vie. »

Tous les pensionnaires de Saint-Augustin rêvent, le soir, de Fermina, aussi bien les « Américains hardis » que les studieux Parisiens. Un Mexicain, Santos Iturria, est parmi les plus épris. Un Français, élève inconscient de Stendhal et adolescent prodige, *décide* de l'aimer et de s'en faire aimer. C'est Joanny Léniot. Ce garçon de quinze ans et demi qui, toujours premier, attend en tremblant d'impatience les résultats des compositions, est le bon élève par excellence. D'une intelligence étonnamment précoce, il est hanté par les plus grands projets. Il rêve de voir se reformer autour du Pape l'Empire Romain. Notons en passant que Larbaud n'est pas éloigné de partager cette conception : c'est un citoyen de l'Europe, qui regrette les divisions contemporaines de celle-ci. Ce sont de telles idées que Joanny expose à Fermina lorsqu'il l'accompagne pendant ses promenades dans le jardin du collège. Il lui cite Salluste, invoque les mânes de Caton et de l'Empereur Julien. Joanny, qui se sent supérieur à tous, déclare à Fermina : « J'ai du génie. » Que peuvent devenir dans la réalité des petits phénomènes ? Génies ou ratés ? Grands hommes ou bourgeois médiocres et rangés ? A la fin de l'ouvrage, le portier du collège nous apprend que Léniot, « ce pauvre petit si intelligent », est mort pendant son service militaire. Cela vaut peut-être mieux.

Le portrait de Fermina n'est pas moins nettement tracé que celui de Joanny. Cette « chica » pour qui toute une pension soupire, est animée par un mysticisme ardent. Lorsque Léniot, au cours d'une promenade dans la pension, lui montre les lits du dortoir, en faisant remarquer qu'ils sont étroits et durs, elle répond : « Songez que la croix était un lit bien plus étroit et bien plus dur pour y mourir. » Si sa tante la gifle, elle baise la main qui l'a frappée. Puisque Jésus a souffert de la soif, elle repousse le sorbet qu'elle commençait de déguster. Il ne semble pas que les discours de Léniot l'ennuient. Elle les écoute avec une sympathie distraite. Tout au plus lui reprocherait-elle son orgueil : Jésus n'aimait pas l'orgueil. Elle ne pense qu'à Jésus. On la croit promise à la vie monastique. Mais sa foi est en réalité le besoin d'aimer. Un jour, elle s'éprend du bel Iturria. Belle et riche, elle pourra offrir son corps et sa fortune au « roi de son cœur ».

Pourtant, ce n'est pas tant Fermina qui remplit ce livre : c'est la pensée qu'on se fait d'elle. C'est son image, objet de délires ou de haine. C'est l'âme du jeune Léniot. C'est l'enfance en émoi, ce sont les inquiétudes de l'adolescence qui constituent le drame de *Fermina Marquez.* Et en écrivant ce petit roman, Larbaud a ouvert une voie qui sera largement explorée pendant l'entre-deux-guerres : qu'on songe seulement aux romans de Lacretelle, de Cocteau, de Martin du Gard, de Radiguet et à tant d'autres peintres de l' « inquiète adolescence ».

* * *

En 1913, Valéry Larbaud publia *Barnabooth.* L'ouvrage avait été en chantier depuis 1902, et une partie — les *Poésies* — avait paru en 1908.

Les Poésies de A. O. Barnabooth font songer parfois à un Whitman sud-américain. Larbaud d'ailleurs a subi l'influence de Whitman, dans lequel il a reconnu quelques-unes de ses tendances propres. Les *Poésies* sont supposées être dues à l'inspiration et à la plume d'un poète du Nouveau Monde, A. O. Barnabooth. Mais celui-ci n'est pas moins Larbaud que Julien Sorel n'est Stendhal. Les *Poésies* de Barnabooth témoignent d'un juste sentiment du passé et d'une remarquable vision de l'avenir de l'Amérique Latine. Elles ont de la sève, du pittoresque et un lyrisme largement coloré et un ton d'effusion large assez whitmanien :

« Mes vers, vous possédez la force, ô mes vers d'or,
Et l'élan de la flore et de la faune tropicale,
Toute la majesté des montagnes natales,
Les cornes du bison, les ailes du condor !
La muse qui m'inspire est une dame créole,
Ou encore la captive ardente que le cavalier emporte
Attachée à sa selle, jetée en travers de la croupe... »

Cependant, c'est surtout par sa conception du voyage que Barnabooth-Larbaud a exercé une influence considérable sur la littérature de l'entre-deux-guerres. Il l'a même, dans une large mesure, renouvelée. Les romantiques voyageurs, de Chateaubriand à Lamartine et Dumas, avaient rapporté d'amples et brillantes moissons d'images. Taine avait voyagé en expérimentateur. Loti avait « invité les paysages et les femmes exotiques à exprimer, un instant, sa propre hantise de l'amour et de la mort ». Bourget avait recueilli des documents psychologiques. Larbaud ne reconnaît pour maître aucun de ses prédécesseurs. Il se défend avant tout d'être voyageur. « Voyageurs, nous, jamais de la vie... habitants du pays pour lequel nous partons, menant la même vie que les gens qui nous entourent... parfois en train de refaire notre vie sous un nom d'emprunt. » Pas de voyages d'instruction, pas de notes prises dans les musées, pas d'enquêtes. On s'installe dans un pays, pour partager l'existence des habitants, on adopte leurs coutumes, on flâne dans les rues, car la rue, « c'est l'essence même d'un pays, son cœur innombrable ».

Saisir le vrai caractère d'un pays sera, pour Barnabooth-Larbaud, la préoccupation majeure, obsédante. Ainsi l'Italie essentielle sera peut-être dans « les grands journaux de Milan, ... les pyramides de melon... le goût de la moutarde de Crémone ».

Le séjour à l'étranger n'augmente pas seulement les collections d'images. Il provoque dans le voyageur un grand renouvellement intérieur.

Larbaud a été un des premiers écrivains français de marque à aimer les trains, les wagons-lits, le plaisir d'être partout et nulle part. Les poètes avaient commencé par maudire les chemins de fer. « Larbaud, lui, se cale voluptueusement dans un coin de compartiment. Il aime la plainte monotone des roues, les pardessus de voyage, le glou-glou de l'eau de Cologne dans les valises, la fuite des paysages au-dessus de la sonnette d'alarme. Il admire les puissantes locomotives, les halls des gares braqués sur les stations lointaines, les wagons aux lignes austères... » [1]

1. Marcel Thiébaut, *op. cit.*, p. 71.

Dès 1903, Larbaud avait écrit, dans une *Ode* bien souvent citée depuis lors :

« Prête-moi ton grand bruit, ta grande allure si douce,
Ton glissement nocturne à travers l'Europe illuminée,
O train de luxe ! et l'angoissante musique
Qui bruit le long de tes couloirs de cuir doré,
Tandis que derrière les portes laquées, aux loquets de cuivre lourd,
Dorment les millionnaires.

« Je parcours en chantonnant tes couloirs
Et je suis ta course vers Vienne et Budapesth,
Mêlant ma voix à tes cent mille voix,
O Harmonika-Zug !

« J'ai senti pour la première fois toute la douceur de vivre,
Dans une cabine du Nord-Express, entre Wirballen et Pskow... »

* * *

Combien de poètes ne vont-ils pas marcher sur les traces de Larbaud ! Que le train soit devenu, après lui et grâce à lui, motif poétique, c'est ce que nous prouve surabondamment l'œuvre des Morand, des Chadourne, des Durtain, et de maint globe-trotter de l'entre-deux-guerres !

Les hôtels trouvent place dans ce renouvellement. Les avantages des palaces n'échappent pas à l'observation du romancier. Les hôtels, ainsi qu'en témoigne le récit intitulé *Deux cents chambres, deux cents salles de bains,* sont d'excellents observatoires pour amateurs de romans vécus.

Littérairement, Larbaud a créé une mode et, par voie de conséquence, un snobisme. Il a été à l'origine de cette espèce de « dandysme du cosmopolitisme » si fréquent pendant les dix ou quinze premières années de l'entre-deux-guerres. Barnabooth montrait le chemin lorsque, en face d'un crépuscule, il monologuait gentiment : « J'ai déjà vu se coucher ce soir-là quelque part. Etait-ce à Prague ou à Eupatoria ? »

Le *Journal intime* d'Archibaldo Olson Barnabooth, de Campamento (Amérique du Sud), nous présente « le plus jeune des grands milliardaires américains ». Ce personnage a 10.450.000 livres de rentes, [1] vingt-trois ans, un titre de comte du Pape et voyage à travers l'Europe :

« Des villes, et encore des villes ;
J'ai des souvenirs de villes comme on a des souvenirs
d'amours :
A quoi bon en parler ? Il m'arrive parfois,
La nuit, de rêver que je suis là, ou bien là,
Et au matin je m'éveille avec un désir de voyage. »

Barnabooth est une sorte de néo-romantique, intelligent, cultivé, un peu bouffon, et fort habile à questionner les paysages et les femmes. C'est un milliardaire de fantaisie, c'est, a-t-on dit, l'incarnation du rêve : « Que ferais-je si j'étais milliardaire ? » [2] C'est un « amateur », qui, comme Samuel Butler, s'efforce de mener une vie d'amateur « toute consacrée à la volupté, c'est-à-dire aux travaux de l'esprit et aux jouissances des arts ».

Barnabooth, symbole des aspirations de Larbaud et de celles de la jeunesse de tous les temps, part à la recherche de l'absolu. Il voudrait posséder le monde, ne rien laisser échapper de ce que l'univers offre à connaître et à aimer. Et il remue « les fondations de la vie ». Pour trouver ses raisons d'exister, il se regarde vivre et note ses impressions, ses philosophies successives, ses « approximations ». Ainsi :

« Nos actions ressemblent à des gestes ébauchés, à des bras tendus dans le vide. On va faire un pas décisif, une démarche qui modifiera toute notre vie. La crise arrive ; et quelques années après, en regardant en arrière, nous nous étonnons d'avoir été si peu émus et d'être si peu changés. Nous ne pouvons rien sur les événements et les événements ne peuvent rien sur nous, quoiqu'on pense. »

---

1. ... et non 18,600,000, comme l'ont dit, Dieu sait pourquoi, plusieurs critiques.
2. Cf. M. Thiébaut, *Evasions Littéraires,* pp. 71-76.

Les conversations constituent une partie de l'action du livre et certaines sont révélatrices. Ainsi l'adieu du prince Stéphane :

« Tu vas partir sans emporter ce que tu étais venu chercher près de moi : la Formule ; ou tout au moins les fruits de mon expérience. Mais il n'y a pas de formule et mon expérience est incommunicable. Ou plutôt oui, il y a des formules, mais c'est la marchandise la plus inutile et la plus frivole qu'on trouve au marché. Non, je n'ai pas de conseils à te donner. Je n'ai rien à te dire dont tu puisses profiter. Chacun des hommes a été mis à part, chacun des hommes a été réservé. »

Ne sachant ce que Dieu attend de lui, Barnabooth interroge ses amis. Le grand-duc Stéphane lui dit, comme Faust, qu'il faut agir. Le marquis de Putouarey, un Français, lui recommande les aventures, les femmes.

Barnabooth est encombré de femmes. Mais, chevaleresque et idéaliste, il n'en approche que peu. Et ne l'intéressent que celles qu'il peut « élever ». L'héroïne de sa première aventure, Florrie Bailey, est une danseuse fort légère. Il veut immédiatement l'épouser. Mais elle refuse, peut-être parce qu'il l'ennuie, peut-être parce qu'elle se considère comme détentrice d'une mission sociale et n'est pas loin de qualifier de traîtres les jeunes gens riches qui ne se marient pas à l'intérieur de leur classe. La seconde « intrigue » de Barnabooth est aussi mal engagée. Il s'agit, cette fois, d'une femme mariée, belle, riche, intelligente, qui deviendrait volontiers la maîtresse du milliardaire. Mais une liaison passagère, Barnabooth n'en veut pas. D'ailleurs, comme un de ses amis le lui a dit un jour, « les liaisons commencent dans le champagne et finissent dans la camomille. » Il finit par se marier avec une humble et pauvre Péruvienne et par rentrer chez lui, en Amérique du Sud. Sans doute faut-il un épilogue. Mais en réalité, ni le Barnabooth de vingt-trois ans, ni le Larbaud de trente-deux ne sont disposés, en 1913, à se fixer.

Amants, heureux amants (1924) est un recueil de contes sentimentaux. Pastels tendres, titres mélodieux, héros jeunes et dilettantes. Des hommes qui songent beaucoup aux femmes et leur font aisément du mal tout en leur voulant du bien. Des monologueurs qui s'interrogent fréquemment, pensent délicatement, sont d'aimables humanistes voluptueux, et font de la philosophie comparée entre deux baisers. Pèsent, par exemple, « sur d'aériennes balances, les échos internationaux d'une même pensée : « Porter de la morue en Ecosse ! du charbon à Newcastle ! des cerises à Guiches ! des vases à Samos ! » Comme il serait imprudent d'aller compromettre ces ravissantes constructions par un amour-passion. Vous ne verrez jamais un jeune homme de Larbaud se laisser entraîner dans une pareille aventure. L'équilibre de ces sages jeunes gens « est plus stable. Ils ont cent plaisirs à leur disposition, découvrent sans cesse du côté des sens ou de l'esprit mille possibilités charmantes. Ils sont *disponibles* ». [1]

Beauté, mon beau souci, qui ouvre le recueil *Amants, heureux amants,* offre l'un des plus délicieux portraits de jeunes filles de la littérature française contemporaine.

Queenie Crosland, l'héroïne, est inoubliable, depuis le moment où elle apparaît, aux premières pages du livre, déguisée en une « petite Folie blanche et bleue en masque de satin blanc », agitant « sa marotte de rubans bleus et blancs », et pénètre dans la maison « le visage découvert à présent, et ses joues roses et ses yeux bleus brillant entre des réseaux tout emmêlés de fils blonds, en faisant tinter tous les grelots de sa jupe ».

Deux des trois nouvelles qui constituent *Amants, heureux amants* sont traitées sous forme de monologue intérieur. Le genre, ébauché par Madame de Lafayette et Stendhal, a été inventé en 1887 par Edouard Dujardin dans *Les Lauriers sont coupés,* et perfectionné par James Joyce dans *Ulysses.* Larbaud a rencontré Joyce en 1919, commencé à lire *Ulysses* dès sa publication dans la *Little Review,* et donné un compte-rendu du livre deux mois avant l'édition Beach. Larbaud

1. M. Thiébaut, *op. cit.*, p. 79.

n'a jamais songé à renier sa dette et il n'est pas douteux qu'il ait été influencé par ses prédécesseurs. Mais il a su tirer parti admirablement du procédé. Dans ce film des pensées, avenir et passé, monde extérieur et monde intérieur se mêlent et se confondent. Ainsi le monologueur de la seconde nouvelle, Francia, songe aux plaisirs de lire bientôt un texte grec de Lucien et entrecoupe ses rêveries de remarques sur les gestes de deux jeunes femmes qui, près de lui, « se donnent la becquée... » Le joli langage des femmes de Lucien ! « Nous n'avons rien en Occident comme l'aoriste et le moyen... avec ces formes féminines et charnelles... Elles vont se bourrer de chocolat et en arrivant à Marseille elles n'en auront plus. Ni plus envie, sans doute. Ensuite ce sera aux amis et aux admirateurs à leur fournir des bonbons, ça ne me regarde plus. La part des femmes dans la formation d'un langage donné : impossible d'arriver jamais à déterminer une chose comme celle là... »

Valéry Larbaud a écrit plusieurs charmants monologues intérieurs. L'un des plus spirituels et des plus significatifs est le *Vaisseau de Thésée,* publié dans la revue *Commerce.* [1] C'est le monologue d'un hôtelier qui, entre autres choses, rêve d'être un érudit. C'est aussi une série de réflexions résignées sur les changements profonds dont les hommes sont l'objet. Le vaisseau de Thésée, respecté comme un symbole de l'illustration de la ville, était pieusement conservé par les Athéniens. Mais pour lutter contre l'œuvre du temps, il avait fallu, petit à petit, en remplacer toutes les parties. Après des siècles, rien de la nef primitive ne subsistait. Ce n'était plus elle et pourtant c'était elle encore. Ainsi des hommes, sur qui les années passent et qui changent, tout en gardant le même nom et en se croyant les mêmes.

* * *

Après 1924, le romancier se tait. Le conteur ne se manifeste plus que par quelques nouvelles. Sans doute a-t-il répugné à mettre en scène des quinquagénaires et des gens déçus. L'enfance, l'adolescence, la jeunesse, étaient ses

1. On le trouvera également dans *Aux Couleurs de Rome* (Gallimard, 1938).

climats de créateur. L'essayiste, le critique, le traducteur, vont prendre — ou reprendre — chaque jour une plus grande importance.

Ce Vice impuni, la Lecture, est une collection d'essais sur William Ernest Henley, Coventry Patmore, Francis Thompson, James Stephens et Walt Whitman. Valéry Larbaud a été l'un des premiers parmi ses compatriotes à lire ces auteurs. Et il a été le premier Français à étudier ou traduire Samuel Butler, Landor, Chesterton, Conrad, Hardy, Stevenson, Joyce, Ramon Gomez de la Cerna. Notons par ailleurs qu'il n'a pas rendu un moindre service à la littérature de son pays : non seulement il a présenté Rimbaud et Péguy aux publics anglais et sud-américains, mais il a été le premier à faire connaître aux Anglais Gide, Claudel, Giraudoux et Valéry, — celui-ci quatre ans avant *La Jeune Parque.*

Jaune, bleu, blanc est également un recueil d'essais, d'impressions, de notes, suggérés par les voyages ou les lectures de l'auteur.

Allen est une suite d'entretiens qui se déroulent à Paris, puis au cours d'un voyage au centre de la France. Larbaud y parle de son pays natal, — le Bourbonnais —, de la province, des traditions françaises. L'auteur y montre qu'on peut être cosmopolite et cependant profondément français.

Technique étudie quelques problèmes d'histoire, de critique et de technique littéraire.

Enfin, dans *Aux Couleurs de Rome,* nous trouvons des souvenirs d'Italie et divers contes, esquisses, rêveries et évocations nuancées de parfums, de couleurs et d'amours. Larbaud nous offre, entre autres méditations, quelques réflexions « sur le rebut » et sur « la vertu d'Attention », à qui il assigne pour objet de sauver de la négligence humaine, la valeur de tout ce que nous rebutons imprudemment. Comme André Rousseaux l'a fort joliment exprimé, « s'il y avait un calendrier des saints de la littérature, le patron de Valéry Larbaud y porterait le nom de *saint Attentif* ». Larbaud n'a-t-il pas prodigué son attention « à tout ce dont notre inattention fait un rebut injustifié : paysages inconnus à l'écart des grands chemins du tourisme, livres abolis, poèmes ignorés, auteurs étrangers au sens le plus fort du mot, car ils sont d'abord étrangers à l'admiration universelle » ? [1]

* * *

Larbaud est un charmant poète et l'un des plus délicieux conteurs de sa génération. Il est de la race des Nodier, des Mérimée. Comme eux, il a un sens de la langue aussi sûr que subtil. Comme eux, il a été un artiste et un bibliophile hors pair. Comme eux, — et plus encore peut-être, — il a été un psychologue très fin, observateur des relativités et des incertitudes de l'âme humaine. Il n'a guère parlé de la politique ou de la guerre, de la misère ou de l'angoisse humaine. Mais il a traduit admirablement quelques-uns des grands courants de son époque. Cultivé et sensible, distingué, serein et charmant, il a été un humaniste européen, un « mandarin des belles-lettres » et un « dégustateur de livres ». Il s'est gardé soigneusement de moraliser. Mais une double leçon sort de son œuvre : celle d'une sagesse souriante, indulgente et tendre, celle d'une fidélité absolue à la Beauté. Il s'est éloigné de la foule et s'est caché dans les petites revues ou derrière le masque du traducteur, ne publiant sous son nom qu'un très petit nombre de volumes exquis. Mais, comme celles de Nodier et Mérimée, son œuvre, riche d'imagination, de simplicité et de beauté, ne pourra que gagner avec le temps.

Dans les *Poésies de A. O. Barnabooth,* Larbaud a fait entendre, en de fort jolis vers, les *Vœux du Poète* :

« Lorsque je serai mort depuis plusieurs années,
Et que dans le brouillard les cabs se heurteront,
Comme aujourd'hui (les choses n'étant pas changées)
Puissé-je être une main fraîche sur quelque front !
Sur le front de quelqu'un qui chantonne en voiture
Au long de Brompton Road, Marylebone ou Holborn,
Et regarde en songeant à la littérature
Les hauts monuments noirs dans l'air épais et jaune.

1. André Rousseaux, *Littérature du XXe siècle,* II, p. 104.

Oui, puissé-je être la pensée obscure et douce
Qu'on porte avec secret dans le bruit des cités,
Le repos d'un instant dans le vent qui nous pousse,
Enfants perdus parmi la foire aux vanités ;
Et qu'on mette à mes débuts dans l'éternité,
L'ornement simple, à la Toussaint, d'un peu de mousse. »

Tout porte à croire que les vœux du poète seront exaucés. Lorsque beaucoup de ses contemporains seront déjà oubliés, il sera « une main fraîche » sur le front de ses admirateurs.

CHRONOLOGIE D'ANDRÉ MAUROIS
(né en 1885)

1918 *Les Silences du Colonel Bramble* (Grasset)
1919 *Ni Ange ni Bête* (Grasset) (réédition 1927, M. P. Trémois)
Les Discours du Docteur O'Grady (Grasset)
Le Général Bramble (Grasset)
1920 *Les Bourgeois de Witzheim* (Grasset)
1922 *La Hausse et la Baisse* (Œuvres libres)
1923 *Ariel ou la Vie de Shelley* (Grasset)
1925 *Dialogues sur le Commandement* (Grasset)
Arabesques (Marcelle Lesage)
1926 *Meïpe ou la Délivrance* (Grasset)
Les Souffrances du jeune Werther (Schiffrin)
Bernard Quesnay (Gallimard)
Une Carrière (Cité des Livres)
1927 *Disraëli* (Gallimard)
Etudes Anglaises (Grasset)
Rouen (Emile Paul)
La Conversation (Hachette)
Le Chapitre Suivant (Sagittaire)
Petite Histoire de l'espèce humaine (Cahiers de Paris)
Décors (Emile Paul)
1928 *Climats* (Grasset)
Aspects de la Biographie (Au Sans Pareil)
Voyage au Pays des Articoles (Gallimard)
Le Pays des trente-six mille Volontés (Éditions des Portiques)
1929 *Les Mondes Imaginaires* (Grasset)
Fragments d'un Journal de vacances (E. Hazan)
Le Roman et le Romancier (Monaco, Imprimerie de Monaco)
1930 *Patapoufs et Filifers* (Hartmann)
Byron (2 vol., Grasset)
Relativisme (Kra)
1931 *Tourgueniev* (Grasset)
Lyautey (Plon)
Fragment d'un Journal (Relativisme, suite) (Editions du Sagittaire)

Le Peseur d'Ames (Gallimard)
L'Amérique inattendue (Editions Mornay)
1932 *L'Anglaise et d'autres Femmes* (La Nouvelle Société d'Editions)
Le Cercle de Famille (Grasset)
Le Côté de Chelsea (Gallimard)
1933 *Edouard VII et son Temps* (Grasset)
Introduction à la Méthode de Paul Valéry (Editions des Cahiers Libres)
Mes Songes que voici (Grasset)
Chantiers américains (Gallimard)
En Amérique (Flammarion)
1934 *L'Instinct du Bonheur* (Grasset)
1935 *Magiciens et Logiciens* (Grasset)
Voltaire (Gallimard)
Malte (Editions Alpina)
Sentiments et Coutumes (Grasset)
Premiers Contes (Rouen, Henri Defontaine)
1937 *La Machine à lire les Pensées* (Gallimard)
Histoire d'Angleterre (Arthème Fayard)
La Jeunesse devant notre Temps (Flammarion)
1938 *Conseils à un jeune Français partant pour l'Angleterre* (Grasset)
Chateaubriand (Grasset)
1939 *Un Art de vivre* (Plon)
Etats-Unis 39 (Editions de France)
Discours de réception à l'Académie Française (Grasset)
Les Origines de la guerre de 1939 (Gallimard)
1940 *Tragédie en France* (New York, Editions de la Maison Française)
1941 *Etudes littéraires* (New York, Editions de la Maison Française)
Cinq Visages de l'Amour (New York, Editions Didier)
1942 *Mémoires* (2 vol., New York, Editions de la Maison Française)
Chopin (New York, Brentano's)
1943 *Espoirs et Souvenirs* (New-York, Editions de la Maison Française)
Histoire des Etats-Unis (New York, Editions de la Maison Française)

ANDRÉ MAUROIS

« La vie demande à être aimée pour elle-même, non parce qu'elle est belle ; elle ne l'est pas ; elle est souvent terrible, toujours difficile, et le refuge qu'on peut trouver dans le monde de l'art ne sera jamais que fragile. Non, la vie n'est pas un être charmant qu'on puisse contempler dans une sorte d'extase en répétant : « Beautiful ! Beautiful ! » *Non, c'est une pauvre femme, pas très jolie, souvent malade, à laquelle nous sommes unis malgré nous. Il ne faut pas avoir honte d'elle, il ne faut pas essayer de la farder ; il faut avoir le courage de la subir. Et peut-être à ceux qui l'acceptent telle qu'elle est, avec une sorte de mysticisme total, apporte-t-elle plus de joie véritable que n'en éprouvent ceux qui demandent à l'image, pierre, papier ou toile, l'oubli de la laideur humaine. »*

(Etudes Anglaises, De Ruskin à Wilde)

« Il se fit de nombreux ennemis... par ses vertus même qui étaient l'impartialité et le souci de l'exactitude... Les hommes n'aiment pas l'exactitude... »

(Tourgueniev)

Depuis la publication de ses *Mémoires* (1942), nous n'ignorons plus rien d'essentiel sur « les années d'apprentissage » (tome I) et « les années de travail » (tome II) d'André Maurois. Ces deux volumes sincères, nourris de faits, agréables à lire, donnent au biographe un tableau fort complet des cinquante-sept premières années d'une vie qui, vue du dehors, parut au spectateur remplie, variée et intéressante, mais, pour l'auteur, put sembler « difficile ».

André Maurois naquit à Elbeuf, en 1885, sous le nom d'Emile Herzog. C'était le fils d'un riche filateur d'Elbeuf. Son père avait quitté l'Alsace en 1871, pour rester français. Avec quatre cents ouvriers, il avait transporté l'usine de famille de Bishwiller aux bords de la Seine.

Le jeune garçon eut une enfance choyée, un peu dénuée peut-être de cette aération nécessaire qu'Alain recommande dans les familles. Le milieu était dominé par le despotisme rigoureux des patrons de l'usine, les grands-oncles Fraenckel, et le patriotisme ardent de ces exilés volontaires. « Le dimanche, » nous dit l'auteur de *Rouen,* « une vieille victoria nous emmenait à la Maison Brûlée. Là était le monument du Mobile, soldat de pierre, grand képi, chassepot. Notre père racontait la guerre de 70 et nous entraînait au pas cadencé en nous apprenant des chansons de marche. »

Emile Herzog s'intéressa tôt aux livres et aux études sérieuses. Il fit ses humanités au lycée de Rouen, où il fut excellent élève et collectionna les prix et récompenses dans les matières les plus diverses. Il couronna sa carrière par un éclatant succès : le prix d'honneur de dissertation philosophique au Concours Général des lycées et collèges de France.

La grande révélation intellectuelle, pour cet élève intelligent, laborieux et appliqué, avait été l'enseignement de la philosophie. Emile Herzog avait eu la chance d'avoir pour professeur Emile Chartier, déjà célèbre sous le nom d'Alain. Celui-ci, grand éveilleur de pensée, exerça sa maïeutique avec fruit sur le jeune homme. Il lui apprit la valeur du concret et du réel, et le détourna peut-être d'une carrière stérile dans les cénacles symbolistes. Ce fut Alain, en effet, qui donna à son élève le conseil de retourner à l'usine paternelle, plutôt que de devenir professeur ou écrivain. « Un fils, » disait-il, « doit commencer par faire le métier de son père. » Alain voulait que ses élèves fussent d'abord de bons *artisans.* Maurois lui dut de faire d'abord l'expérience de la vie.

Le jeune homme décida de faire sa licence de philosophie — qu'il passa avec la mention *Très Bien* — puis son service militaire, qu'il accomplit avec conscience. Après quoi, il retourna à l'usine. Passant successivement par tous les stades du métier, il fut trieur de laine, foulonnier, tisserand. Pendant dix ans, associé à la vie industrielle, il sera un homme d'action enthousiaste et hardi et découvrira ces valeurs humaines que le jeune élève socialisant d'Alain eût difficilement connues autrement.

Cependant, de même que le héros de *Bernard Quesnay*, le jeune capitaine d'industrie lit Stendhal et Spinoza, Karl Marx et Auguste Comte, écoute avec ferveur Debussy et Ravel et cherche à se cultiver. Il remplit de notes plus de cinquante cahiers. Il écrit, en secret, des contes, des nouvelles, des récits tendres, enjoués, presque classiques de forme. Il poursuit ses discussions avec Alain, mais il découvre aussi Kipling. Sans doute hésite-t-il un moment entre ces deux pôles d'attraction. Il a le respect des droits de l'ouvrier, mais aussi ce sens de la hiérarchie, de la discipline fortement inculqué en lui par les Fraenckel et les Herzog. Déjà commence à apparaître le thème essentiel de son œuvre : la réconciliation entre les notions patronales et la dialectique radicale, entre Kipling et Alain, entre l'autorité et la révolte.

La guerre de 1914 survient. Maurois, récemment marié à la jeune et belle Janine de Szymkiewicz et père d'une charmante fillette, est plongé dans la tourmente. Malgré une santé médiocre, il réussit à servir dans l'armée active. Agent de liaison, détaché aux armées anglaises, il achève de se découvrir lui-même et retrouve sa vocation d'observateur réaliste, de psychologue et d'écrivain.

Au début de 1915, Maurois est affecté à une unité combattante : des *Lennox Highlanders*. Il s'entendit fort bien avec les Britanniques. Plus tard, il nous en dira le secret : « *J'étais timide, ils étaient silencieux.* » Ce fut, en tout cas, le prologue d'une longue amitié entre l'écrivain et les Anglais. En attendant d'entrer en ligne, les hommes faisaient du sport, les officiers jouaient aux échecs et échangeaient d'interminables propos. Le colonel de la Neuvième division avait un gramophone sur lequel il faisait éternellement jouer les mêmes disques de *Tipperary* et de *Destiny*. La valse du *Destin* « se mêlait au bruit des mitrailleuses en une symphonie fantastique. Autour de la table les visages rêvaient à quelque lointaine province anglaise, à une femme, à un métier... C'était mélancolique, poignant et assez beau... » Maurois prit des notes, enregistra des bribes de conversation, esquissa quelques silhouettes, comprima vingt colonels anglais en un colonel Bramble. Peu à peu les ébauches s'unifièrent et se condensèrent en un volume d'impressions sur ces militaires anglais qu'il avait observés de près et aimés. Le manuscrit fut envoyé par un officier ami à l'éditeur Grasset. En mars 1918, le volume parut, à compte d'auteur et à mille exemplaires. L'auteur, qui reçut trente exemplaires de presse, ne connaissait pas un seul critique : il envoya les livres aux grands hommes qu'il admirait : Anatole France, Lyautey, Kipling. Ceux-ci ratifièrent le jugement du grand public, qui acheta cent mille exemplaires des *Silences*. C'est, désormais, le succès. C'est également le début d'une carrière littéraire brillante sous le nom d'André Maurois, que l'auteur, ne pouvant publier sous son nom d'officier, avait adopté comme pseudonyme.

Ainsi quatre années de guerre avaient extraordinairement élargi le champ d'action d'Emile Herzog. Elles avaient également complété sa formation : le « bain anglais » avait enrichi « l'atelier Alain » et Maurois n'ignorait plus rien de « l'esprit Dickens » et de « cette gaieté innocente et presque enfantine, cette joie active, ce besoin d'organiser en toute circonstance un jeu ». [1]

L'armistice enfin signé, Maurois rentre à Elbeuf. L'usine après la guerre verra des jours difficiles. Maurois, se consacrant de plus en plus à sa nouvelle carrière, l'abandonnera progressivement.

Dès 1919, Maurois qui attendait alors d'être démobilisé, avait publié un second livre, *Ni Ange ni Bête*. C'était son premier roman à proprement parler. Alain, qui fut l'un des rares admirateurs du livre, félicita l'auteur d'avoir « bien compris la leçon de Stendhal ». Mais Maurois avait compris aussi qu'il n'avait pas su s'en dégager suffisamment et exprimer sa propre nature. Abandonnant provisoirement le genre, il donne à Grasset une seconde fournée d'histoires militaires anglaises. Ce fut *Les Discours du Docteur O'Grady* (1922) [2]. Le livre fut assez bien accueilli, mais l'auteur,

1. *Etudes anglaises*, p. 142.
2. La première version des *Discours du Docteur O'Grady* avait déjà paru en 1918, en tirage limité, sous le titre de *Le Général Bramble*.

comme ses critiques, souhaitait un renouvellement : on ne pouvait récrire éternellement l'immortel Bramble.

Or Maurois avait, depuis longtemps, désiré écrire une biographie. Dès 1918, il voulait consacrer un ouvrage à la vie de Shelley. Les circonstances de sa vie présente ne lui permettant pas de réaliser son plan, faute d'une documentation accessible, il se borna à transposer son héros romantique dans le monde à demi-réel, à demi-imaginaire de *Ni Ange ni Bête*. Plus tard, il fut confirmé dans son projet par un grand malheur privé (il venait de perdre sa femme), qui fut cruellement ressenti. Il put, en puisant dans son expérience personnelle, décrire dans *Ariel* un Shelley tendre et meurtri. *Ariel* connut un gros succès, en dépit de certaines polémiques qui, à l'occasion de l'ouvrage, s'engagèrent dans les revues au sujet des « vies romancées ».

Après Shelley, Maurois écrivit la vie de *Disraëli*, que la critique fut à peu près unanime à saluer comme un chef-d'œuvre.

Puis vinrent les deux volumes de *Byron*. Maurois, cette fois, avait fait d'importantes recherches et sacrifié autant à l'érudition qu'à la résurrection romanesque. Et c'est la suite ininterrompue des grandes biographies, *Lyautey, Tourgueniev, Edouard VII, Chateaubriand,* etc. Entre temps, Maurois fait des conférences devant les publics choisis de la Société des Conférences et de l'Université des Annales, publie des contes, des essais, des récits de voyages, et quelques romans à succès. Il a épousé en secondes noces la charmante Simone de Caillavet.

En 1939, il est élu à l'Académie Française.

La seconde guerre mondiale, cependant, le renvoie aux armées anglaises. De nouveau, il est agent de liaison, mais, cette fois, d'un caractère supérieur, entre les Français et les Anglais. Sa mission est interrompue par l'armistice de juin 1940. De Londres, il passe en Amérique, où, par la plume et par la parole, dans les Universités et dans ses livres, il défend, avec la même politesse, la même culture et la même maîtrise de la langue, la France éternelle.

« Un esprit charmant, alerte, courtois et fort joliment cultivé, ce qui ne gâte rien » : tel est le signalement que donne André Gide de son visiteur de Cuverville. Tous ceux qui ont approché André Maurois n'ont pu manquer d'éprouver la courtoisie raffinée de son accueil, la douceur et la souplesse de sa nature, la qualité intense d'une sensibilité toujours en éveil. Tous ont été frappés par ce mélange de simplicité et d'élégance naturelle qui le caractérise. Chose curieuse, Français, Anglais et Américains y ont été également sensibles, de même qu'ils ont noté chez l'homme de cinquante ans « la grande jeunesse de l'allure et du geste, la vie et l'intelligence émanant du corps svelte aux mouvements aisés, de la figure fine et longue aux traits nets, aux yeux profonds, chargés à la fois de pensée et de rêve ».

Quelqu'un a dit de Maurois que c'était « un authentique grand seigneur des lettres françaises ». Ce grand bourgeois est, à n'en pas douter, un aristocrate des lettres, poli et raffiné dans le meilleur sens du terme, dépourvu totalement de snobisme et modeste comme le sont rarement les écrivains. Il ne recherche pas les avantages de la gloire. Aux conversations de salon, il a toujours préféré les entretiens amicaux avec Gide et Mauriac, Morand et Lacretelle.

Le style de Maurois est, comme l'homme, agréable, poli, cultivé. Il donne une impression de merveilleuse aisance. L'écrivain a, d'autre part, une étonnante puissance de travail qui fait que son œuvre a été écrite avec une régularité et une apparente facilité qui ne laissent point d'être remarquables. Pour ne prendre qu'un exemple, l'auteur commence, le 26 juillet 1941, « à écrire sa vie difficile ». Il mettra le point final à la première version de son manuscrit, écrite de sa fine écriture quasi-indéchiffrable, dès le 8 octobre de la même année.

L'écrivain et le conférencier ont été écoutés avec plaisir et sans effort. L'œuvre a été fort lue et fort appréciée des publics français, anglais et américain de l'entre-deux-guerres. « Une intelligence suraiguë, ouverte à tout problème, et qui rend translucide tout objet qu'elle fixe, un choix très sûr des notations essentielles, un sens affiné de l'image concrète, de l'anecdote significative, un style comparable par sa clarté aérienne et la légèreté de ses touches à celui de Voltaire, » il n'en fallait pas plus « pour se faire aimer, envier de milliers de lecteurs, affamés d'une nourriture superficielle peut-être, mais immédiatement assimilable ». [1]

Cependant à mesure que la renommée de Maurois s'accroissait dans le grand public, les critiques s'enhardissaient et dénonçaient avec une vigueur accrue les failles d'une œuvre « variée, abondante, aisée, décevante ». Il ne pouvait en être autrement. Souvent, les écrivains « faciles » s'accommodent, ou paraissent s'accommoder par trop à leur époque. Lorsque celle-ci — qui n'était qu'une « période » — se termine par un fiasco aussi apparent que la capitulation de 1940, les gloires de cette période en souffrent.

* * *

Que restera-t-il de l'œuvre variée et abondante de Maurois ?

Quelques biographies d'abord. Pas *Chateaubriand,* sans doute. Le travail critique paraît avoir été insuffisant. De même, le *Voltaire,* le *Tourgueniev* et plusieurs autres essais historico-littéraires sont des ouvrages de bonne vulgarisation.

Les meilleures biographies de Maurois participent toutes d'une qualité commune : ce sont des « vies romancées ». Or, qui dit vie romancée dit roman. On comprend que maints esprits cultivés aient été préoccupés du succès de ces simplifications commodes qui réduisaient à des aventures amoureuses ces problèmes d'histoire, de psychologie et de critique que les érudits n'avaient pas toujours résolus. Mais dans plusieurs cas, Maurois, grâce à des scrupules innés joints à un métier incontestable, grâce à ses ressources d'imagination psychologique et à sa puissance de recréation des héros, a triomphé des difficultés inhérentes au genre.

Ariel ou la vie de Shelley, baignée de lumière, de poésie et de tendresse, Don Juan ou la vie de *Byron,* écrite après une investigation de dix années et nourrie de faits, ont deux défauts opposés : tandis que le premier ouvrage est peut-être un peu trop superficiel, un peu trop subjectif, le second est certainement trop objectif et trop techniquement parfait.

---

1. Emile Rideau, dans *Etudes,* le 20 janvier 1930.

Par contre, *Disraëli* est un chef-d'œuvre incontesté, qui supporte aisément d'être lu et relu. L'auteur a réussi à faire entrer dans le volume toute l'histoire d'Angleterre de 1837 à 1880 sans commettre aucune de ces erreurs, lacunes et inexactitudes qui abondent en général dans les « vies romancées ». D'autre part, il a admirablement présenté l'évolution de Benjamin Disraëli, depuis sa naissance obscure dans une famille d'origine israëlite et étrangère, jusqu'à son accession, sous le nom de Lord Beaconsfield, aux fonctions de premier ministre et au rôle de confident de la Reine du pays le plus traditionnel d'Europe. L'ouvrage abonde en portraits vivants et justes.

Il suffit souvent à l'auteur d'évoquer un objet pour décrire une âme. Souvent aussi quelques lignes humoristiques valent une longue analyse :

« Très jeune, Disraëli fut envoyé à l'école, d'abord chez une Miss Roper, puis chez le Révérend Potticany, maison respectable où une fille de clergyman « s'occupait de la morale et du linge... » ... »

Les petits détails vrais reconstituent merveilleusement l'atmosphère :

« La maison de Ben, cette maison de briques rouges (porche grec, trois marches, petite grille le long du trottoir) était bien une maison anglaise... »

Enfin, nous relirons toujours avec plaisir et admiration certaines pages consacrées à Peel, à la Reine Victoria ou à M. Gladstone. Aucun passage, à cet égard, n'est mieux venu que le parallèle Disraëli-Gladstone, désormais classique, qui se termine par ces lignes :

... « Quand les deux rivaux se levèrent, l'un après l'autre, il sembla que deux puissances surnaturelles s'opposaient. Gladstone, avec son profil bien découpé, ses yeux d'onyx, sa crinière de cheveux noirs rejetés en arrière d'un mouvement puissant, semblait l'Esprit de l'Océan. Disraëli, avec ses boucles brillantes, sa silhouette un peu courbée, ses longues mains souples, semblait plutôt l'Esprit du Feu. Dès qu'ils parlèrent, il fut évident que Disraëli avait plus de génie, mais Gladstone avait pris un ton de supériorité morale qui plaisait mieux à la Chambre. »[1]

Si *Disraëli* est le chef-d'œuvre de Maurois, sa biographie de Lyautey, nécessairement inachevée et fragmentaire, mais forte et bien écrite, est une des plus intéressantes et des plus originales. On a dit que si Maurois avait fait connaître Disraëli aux Français (et même aux Anglais), il s'était fait connaître lui-même de l'armée française par son *Lyautey.* Le trait n'est pas sans justesse. Le héros, en tout cas, était encore vivant quand l'ouvrage fut publié et l'auteur put obtenir de sa bouche les détails inédits qui lui permirent d'écrire l'attachante biographie du fondateur d'Empire.

Pourquoi Maurois a-t-il choisi Lyautey ? Parce que, sans doute, c'est un de ses héros favoris et un de ceux avec qui il a le plus d'affinités idéales. Comme Lyautey et comme les Anglais, Maurois a « le goût de la tenue, le sentiment de la caste, l'amour de la fantaisie lié à celui de la tradition ».

* * *

Maurois a été célébré d'abord comme une sorte d'ambassadeur d'Angleterre en France et d'interprète hors pair entre les deux pays. Dans quelle mesure a-t-il accompli cette tâche ? Sa contribution à une meilleure connaissance des deux littératures, des deux civilisations, des deux peuples, a été, en tout cas, considérable.

Nous avons déjà indiqué l'importance de ses études sur Shelley, Byron, Disraëli, etc. *Les Silences du Colonel Bramble* et *Les Discours du Docteur O'Grady* restent deux œuvres « mineures » exquises d'humour et d'intelligente observation. Le premier volume est un peu encombré de pièces de vers inutiles, le second offre quelques longueurs. Mais des types humains inoubliables émergent de ces livres : le colonel écossais Bramble, avec ses silences pleins de rêve et d'éloquence ; le major Parker, Anglais raisonneur et sentencieux ; le Padre, vieux chapelain militaire aguerri par les campagnes coloniales, et dont les récits de chasse au lion appellent la comparaison avec les meilleures pages de *Tar-*

1. *Disraëli*, p. 209.

tarin ; le docteur O'Grady enfin, cet Irlandais caricatural qui raisonne si doctement sur le caractère national des maladies (« Si un Français se baigne après son repas, il est frappé de congestion et se noie. Un Anglais n'a pas de congestion... »).

Les *Silences* et les *Discours* sont remplis de notes prises sur le vif et d'anecdotes authentiques, de portraits excellents et de parallèles psychologiques dont on ne peut qu'admirer l'ingénieuse et paradoxale justesse. Ainsi la fameuse boutade du major Parker sur la conception de la liberté dans les deux pays :

« Nos deux nations... ne se font pas la même idée de la liberté. Pour nous, les droits imprescriptibles de l'homme sont le droit à l'humour, le droit aux sports et le droit d'aînesse. J'ai beaucoup d'admiration pour la France, Aurelle, surtout depuis cette guerre, mais une chose me choque dans votre pays,... c'est votre jalousie égalitaire... »

Ou encore ce parallèle sur les idées :

« Chez nous (Français), les idées sont des forces actives et dangereuses qu'il faut manier avec prudence. Chez ces Anglais, l'action est si bien déterminée par une éducation rigide que la clownerie verbale d'un Shaw reste une acrobatie inoffensive, dont le conservateur le plus réaliste se divertit sans scrupules. »

L'Histoire d'Angleterre n'apprend rien de nouveau à un étudiant d'histoire, en France ou en Grande-Bretagne. L'originalité est dans la manière. Maurois trace de son sujet un panorama clair, ordonné, et donne un récit documenté, vivant et impartial. L'auteur voit dans l'histoire d'Angleterre « une des réussites les plus remarquables de l'espèce humaine ». Dans toutes les occasions critiques, une sorte de génie semble être intervenu pour harmoniser les contraires, — esprit pratique et goût de l'aventure, impérialisme mystique et fier individualisme. L'histoire d'Angleterre, suivant le mot de Sir Austen Chamberlain, « n'est qu'un compromis ». Maurois met en lumière ce compromis perpétuel qui a donné naissance, entre autres créations durables, à une monarchie républicaine stable :

« ... La révolution de 1640 avait montré que l'Angleterre se refusait à devenir une monarchie absolue ; celle de 1660, qu'elle se refusait à devenir une république. Il lui restait à découvrir les moyens d'être à la fois une république et une monarchie... »

Les Conseils à un jeune Français partant pour l'Angleterre ont moins d'ambition que l'*Histoire d'Angleterre*. Ils n'en sont pas moins fort pénétrants. On y trouve une compréhension très sûre du caractère britannique :

« Ils ont le goût et même le besoin du compromis... Aucun peuple ne supporte mieux que celui-ci les critiques... Les Anglais sont sans méchanceté... L'Angleterre n'a aucun complexe d'infériorité... »

Poursuivant ses explorations des civilisations anglo-saxonnes, Maurois avait découvert l'Amérique en 1927. Il y fit plusieurs voyages et y enseigna dans plusieurs collèges et universités, en particulier à Princeton et à Mills. Il en rapporta plusieurs ouvrages où il consignait le fruit de ses observations. Celles-ci étaient, comme on pouvait s'y attendre, exactes et intelligentes, mais manquaient de la profondeur et de la qualité de nouveauté de ses ouvrages sur l'Angleterre.

* * *

La carrière de Maurois romancier n'a pas été entièrement heureuse.

Il débute, en somme, par un insuccès. L'échec de *Ni ange ni Bête* était-il mérité ? Oui, sans doute, car l'œuvre était assez théorique, les héros, assez factices ; le style lui-même semble éloigné de la sobriété classique habituelle à l'auteur.

L'intrigue se déroule dans une petite ville du Nord, sous Louis-Philippe. Philippe Viniès, ingénieur républicain et socialiste, a épousé Geneviève de Vaulges, jeune aristocrate tendre et charmante. Le drame qui bouleversera leur existence a ses origines dans le conflit entre leurs rêves généreux et les préjugés mesquins de la petite ville bourgeoise. Maurois tenait là plusieurs sujets dont un au moins — les dangers de l'idéologie — pouvait être intéressant. Mais il manquait de technique, il voulut transposer trop objectivement l'histoire de Shelley, sans tenir compte de sa propre expérience. Le résultat ne faisait pas de doute : l'œuvre reste trop théorique et brumeuse.

* * *

Bernard Quesnay (1926) [1] est une œuvre toute différente, qui pose les graves problèmes du chef d'industrie dans la société moderne. Cette fois, Maurois s'est évidemment inspiré de l'usine d'Elbeuf. Monsieur Achille, le vieux despote patriarcal, c'est le grand-oncle Fraenckel. La rivalité féroce des deux maisons Fraenckel et Blin a été également transposée dans le roman. Enfin, Maurois a largement puisé à sa propre expérience pour décrire le conflit de deux générations en face des questions sociales que pose l'industrie moderne.

L'auteur s'est représenté non seulement dans Bernard, mais aussi dans son frère Antoine. Au premier, il prête sa tâche, ses succès professionnels ; au second, ses sentiments et ses inquiétudes. Antoine placera au-dessus de toute ambition son amour pour sa jeune femme. Bernard sera le véritable héritier d'Achille Quesnay.

— « Bernard ? Ah oui ! Il est terriblement Quesnay, » déclare un personnage.

— « Pourquoi terriblement, » dit Bernard un peu agacé... « J'ai reconnu qu'il est impossible de diriger une grande industrie sans une discipline personnelle très sévère... Une vie simple, des réserves immenses, une production limitée, faute de quoi on sombre dans les crises... Il y a eu un grand économiste, c'était Joseph, le Joseph de la Bible, quand il racontait l'histoire des vaches grasses et des vaches maigres... Mais la plupart des hommes oublient que les années maigres succèdent nécessairement aux années grasses. »

Bernard Quesnay est un des meilleurs romans « économiques » et documentaires de l'entre-deux-guerres : la partie qui traite de la crise, les pages qui exposent la question des tarifs, toute la toile de fond industrielle du roman restent d'un grand intérêt et d'une parfaite authenticité. La présentation du sujet témoigne d'une profonde intelligence

---

1. La première version de *Bernard Quesnay* a paru en 1922 sous le titre de *La Hausse et la Baisse* ; la version définitive, en 1929.

et d'une remarquable ingéniosité, le style est net, concis, fluide et quelques-uns des portraits sont burinés avec force et sobriété. Pourtant l'ouvrage ne s'impose pas comme un chef-d'œuvre indiscutable. Certains détails, certaines formes de style ont déjà vieilli et l'ensemble manque de puissance et même, par moments, de métier.

* * *

Climats (1928) est peut-être le roman le plus connu de Maurois.

Le titre et le sens de l'œuvre — qui étudie le manque de synchronisme dans l'amour — sont expliqués, au cours du récit, par l'un des personnages :

« Ce que j'ai compris de très important, » écrit Isabelle dans son journal, « c'est que, si l'on aime vraiment, il ne faut pas attacher trop d'importance aux actions des êtres qu'on aime. Nous avons besoin d'eux ; eux seuls nous font vivre dans une certaine *atmosphère* (votre amie Hélène dit *un climat,* et c'est très juste), dont nous ne pouvons nous passer. »

Climats raconte, par une double confession, l'éducation sentimentale de Philippe Marcenat. Celui-ci, comme Maurois, a lu dans son enfance les livres les plus chevaleresques et rêvé sur leurs idéales héroïnes, sur celle, notamment, d'un livre d'enfant, *Petits soldats russes* : « Ce fut certainement par lui, » écrit-il, « que se forma pour moi cette image de femme que je vous ai si souvent décrite. Je ne sais à quel moment je me mis à l'appeler l'Amazone, mais je sais que toujours l'idée de hardiesse, de risque, fut mêlée au plaisir qu'elle me donnait. J'aimais aussi beaucoup lire avec ma mère l'histoire de Lancelot du Lac et celle de Don Quichotte. je ne pouvais croire que Dulcinée fût laide et j'avais arraché de mon livre la gravure qui la représentait, afin de pouvoir l'imaginer telle que je la souhaitais. »

Après une jeunesse à la fois romanesque et galante, qui ne lui a jamais donné exactement ce qu'il recherchait, Philippe croit trouver en Odile son Amazone et l'épouse. Mais Odile est une femme instinctive, mouvante, insaisissable, coquette, inconstante, mystérieuse.

« Elle avait un goût naturel très fin, il était rare qu'elle aimât une chose médiocre, mais dans le choix même des vers qu'elle me lisait, je remarquais avec un étonnement inquiet le goût de l'amour, une profonde connaissance de la passion et quelquefois le désir de la mort. »

Maladroit et jaloux avec sa femme, Philippe la perd. Elle le quitte, épouse un officier de marine qui la rend encore moins heureuse, et se donne la mort.

Plus tard, Philippe rencontre Isabelle, qui est sage et logique, ordonnée et précise. Il l'épouse, mais c'est lui maintenant qui est inquiet et cherche ailleurs la solution de ses problèmes intérieurs.

« Je possède, » écrit-il, « ce bonheur si rare : un grand amour. J'ai passé ma vie à appeler le « romanesque », à souhaiter un roman réussi ; je l'ai et je n'en veux pas. J'aime Isabelle et j'éprouve auprès d'elle un tendre, mais invincible ennui. Maintenant, je comprends combien j'ai dû moi-même, jadis, ennuyer Odile. Ennui qui n'a rien de blessant pour Isabelle, comme il n'avait rien de blessant pour moi, car il ne vient pas de la médiocrité de la personne qui nous aime, mais simplement de ce que, satisfaite elle-même par une présence, elle ne cherche à remplir la vie et à faire vivre chaque minute. »

Philippe mourra sans avoir rencontré nulle part le *climat* égal où il eût pu vivre sans inquiétude.

Comme dans *Bernard Quesnay,* Maurois a puisé largement à la source de ses souvenirs : la double expérience sentimentale de Philippe a des accents personnels parfois fort émouvants. Mais, dans ces conditions, est-il vraisemblable que Philippe disparaisse à la fin du roman ? Maurois, plus tard, a regretté de s'être privé d'un personnage qu'il aurait pu reprendre, montrer assagi, calmé. Il a essayé, dans *Le Cercle de Famille,* de lui donner un successeur sous le nom de Bertrand Schmitt : ce dernier est un Philippe Marcenat « apaisé », ayant enfin trouvé le bonheur dans ses travaux littéraires et dans un amour moins passionné et moins douloureux.

Dans *Le Cercle de Famille* (1932), Maurois conte l'histoire d'une jeune fille qui, indignée par l'inconduite de sa mère et révoltée par l'hypocrisie sociale, abandonne les siens. L'héroïne rêve de construire un monde où régneront la vérité et la justice. Mais Denise Herpain retombera dans les mêmes erreurs que sa mère, les dépassera même. Plus tard, blâmée par ses propres enfants et condamnée par eux, elle juge Mme Herpain avec plus d'équité et vient chercher la paix auprès d'elle.

La morale qui se dégage du *Cercle de Famille,* comme d'ailleurs de presque toute l'œuvre de Maurois, est qu'il faut chercher le bonheur non dans l'absolu, mais dans le relatif. Il faut être serein et tolérant, puisque « ce qui était un présent douloureux et vivant est devenu un passé mort... Et sans doute ce présent que je viens de fuir, si difficile, si obscur, sera-t-il, lui aussi, quelque jour passé, irréel, endormi... »

Du point de vue technique, *Le Cercle de Famille* n'est qu'à demi satisfaisant. La première partie qui décrit le « cercle de famille » proprement dit est excellente, mais les deux autres sont gâtées par des conversations qui souvent ne sont que des digressions.

* * *

L'Instinct du Bonheur (1934) met en lumière l'utilité du silence en matière de vie sentimentale.

L'un des personnages principaux, Madame de la Guichardière, est une marieuse invétérée de province. Elle soutient que le bonheur existe sur la terre mais qu'il ne peut naître, grandir et se conserver que dans le mensonge. Sa patience et sa malice devront dénouer les mille difficultés créées par le projet qu'elle a conçu de marier Colette Rumilly et André de Saviniac, en dépit de certains mensonges d'antan. La mère de Colette a dû avouer successivement que Colette était une enfant naturelle et qu'elle n'était pas la fille de son mari mais d'un riche protecteur. Elle croit que sa fille et son mari ignorent la situation. Or, Colette sait qu'elle est une bâtarde, Gaston Rumilly que sa fille n'est pas à lui. Si tous les trois se sont tus, c'est par tendresse, pour continuer à s'aimer. Ils ont vécu dans le mensonge, mais le mensonge a fini par faire du bonheur. L'un des héros conclut par ces paroles qui donnent sa morale au livre :

« Il me semble que la plupart de nos douleurs, de nos douleurs morales naturellement, viennent de ce que nous avons des mots pour les décrire... Nous leur donnons corps... »

* * *

Qu'y a-t-il de commun dans presque tous ces romans ?

Un thème, tout d'abord — celui de l'individualisme vaincu par la société. Philippe, Denise, sont meurtris par la vie pour avoir voulu se suffire à eux-mêmes, vivre leur vie.

En second lieu, quelques solides analyses psychologiques. L'inoubliable Achille Quesnay qui « ne vieillissait que le dimanche » est puissamment dessiné. De même Denise Herpain, Philippe Marcenat et Bernard Quesnay.

Mais les romans de Maurois ne peuvent être mis en regard de ceux de Mauriac, de Martin du Gard ou de Bernanos, parce qu'il leur manque certains traits qui font les grands romans.

Il y manque la sensualité. Rien de comparable, dans l'œuvre de Maurois, aux « souffrances de la chair » et à la fièvre des héros de Mauriac. C'est d'ailleurs volontairement que Maurois s'abstient sur ce chapitre. Comme son maître Alain, il estime que « l'émotion esthétique est contrariée par la violence du désir physique éveillé par des descriptions trop précises ». Dans *Tourgueniev,* il explique ainsi son attitude :

« Sans doute la sensualité brutale est vraie et elle est nécessaire. Il faut pourtant reconnaître qu'elle devient, dans un roman, d'une monotonie et d'un ennui incomparables. C'est un fait que tous les romanciers qui ont bien parlé de l'amour-passion et je pense en ce moment à Stendhal au moins autant qu'à Tourgueniev, ont été des romanciers chastes. Proust lui-même, qui éclaire vivement l'action du mécanisme physiologique sur la vie sentimentale, le fait presque toujours avec une merveilleuse mesure et quand il renonce à cette mesure, échoue... »

Mais le manque de sensualité exagère le raisonnement, l'analyse, l'intellectualité et diminue le rôle de la passion chez les héros de Maurois.

Maurois ignore le prolétariat. Chaque fois qu'il aborde ce milieu, il paraît terne, emprunté. « Il lui manque, » disait Edgar Wagener, « je ne sais quoi d'épique, de fort et de généreux pour évoquer le nombre et la masse. »

Enfin, pas ou peu de paysages dans son œuvre. Maurois ne paraît goûter un site que dans la mesure où il intéresse la vie profonde du héros. Ses descriptions sont entachées d'un intellectualisme un peu sec. Ainsi il dira :

« Déjà les maisons à cinq étages se dressaient isolées dans les champs comme les pierres d'attente d'une cité en construction. *Cézanne succédait à Watteau.*

« ... Une brume rousse enveloppait les arbres d'une vapeur légère *comme dans un paysage de Turner...* »

* * *

Maurois n'a peut-être pas écrit un seul roman digne de ce nom. Mais il excelle dans le conte et nous sommes assez tentés de dire, à la suite d'André Rousseaux : « Je crois que, de tous ses livres, ce sont ses contes que j'aime le mieux. Peut-être parce que ces petits ouvrages sont fort bons. Peut-être parce qu'ils éclairent beaucoup les plus grands. »

Maurois a écrit, à la façon de Voltaire, des petits récits philosophiques plaisants où, comme chez Voltaire, la philosophie passe parfois inaperçue.

Le Peseur d'Ames (1931) est un récit fantastique, dans lequel l'auteur use du merveilleux scientifique, cher à maint conteur anglais.

Le héros est un médecin anglais qui a trouvé l'art d'isoler et de capter, sinon l'âme des morts, du moins une sorte de corps astral, de *périsprit.* L'inventeur est d'ailleurs assez embarrassé de ces fluides vitaux qu'il tient prisonniers sous une cloche. Il ne peut les libérer sans les dissoudre, ni les garder sans les torturer peut-être. Le narrateur mourra sans avoir pu tenter l'expérience suprême qui consistait à réunir, après la mort, sous une même cloche de verre, le *périsprit* du docteur James et celui de sa bien-aimée.

La Machine à lire les pensées (1937) est une « anticipation » et un conte moral fort amusant. Maurois imagine qu'un physicien anglais, vivant en Amérique, a inventé une sorte de microphone qui enregistre le monologue intérieur des humains. Ce « psychologue » révèle la rêverie désordonnée où certains poètes ont vu le siège du lyrisme. Il permet aux hommes de s'espionner et provoque ou aggrave les désillusions, brouilles, méfiances ou heurts que l'on peut imaginer. Mais il est insuffisant pour pénétrer l'âme. Ce qu'on rêve, ce que la « folle du logis » imagine, n'est pas ce que l'on veut. « Un psychogramme révèle le côté de l'évasion, qui serait en effet très intéressant à connaître si l'on avait la sagesse de la connaître comme tel. » L'être réel n'est pas, quelle que puisse être l'utilité de la psychanalyse, l'inconscient. Finalement, la société montée pour exploiter le brevet de l'appareil périclite. Les hommes ne peuvent ni ne veulent se connaître les uns les autres.

* * *

Maurois conteur a peut-être encore mieux compris les enfants que les hommes. Ses nouvelles pour enfants sont charmantes. *Patapoufs et Filifers,* le *Voyage au Pays des Articoles* sont parmi les chefs-d'œuvre du genre.

* * *

Maurois essayiste a donné quelques ouvrages de morale pratique qui sont loin d'être dépourvus d'intérêt. Le plus fameux est sans doute les *Dialogues sur le Commandement,* dont maint candidat à Saint-Cyr a appris par cœur quelque page utile pour son épreuve de composition française.

Les *Dialogues sur le Commandement* mettent en présence deux hommes, qui, tous deux, évoquent l'instinct de domination. L'un est le lieutenant, l'autre le professeur qui a été le maître du premier. Le militaire et l'intellectuel s'opposent, l'acteur et le spectateur se contredisent sans s'entendre. Deux thèses sont en présence : le philosophe antimilitariste ne croit qu'au hasard, l'élève enseigne au maître ce que peut la volonté. Sans arriver à convaincre l'autre, le lieutenant achève par un acte de foi.

L'esthétique de Maurois et sa philosophie sont, en grande partie, commandées par celles de Kant et Alain. Or, à la suite de ses maîtres, l'auteur de *Mes Songes que Voici* estime que « le monde des apparences est le seul qui nous sera jamais connu, que notre esprit ne peut atteindre une réalité essentielle, distincte de ces apparences, que d'ailleurs la nature même d'une telle réalité est inconcevable et que, pour l'homme, les ombres de la caverne, telles qu'elles ont été perçues par lui ou par d'autres hommes, sont la seule réalité ».

Ainsi, tous nos points de vue sont subjectifs. Le cosmos est individuel et varie, d'autre part, avec l'âge. La vérité est relative. Cette relativité est, pourtant, une vérité absolue.

Nous nous trouvons en présence de phénomènes, intelligibles pour un système déterministe. Mais le déterminisme universel est soumis à la loi du rythme. La courbure de l'univers, a-t-on dit, est celle d'une roue en mouvement : en attendant assez longtemps, on pourra toujours assister à des recommencements. Maurois revient souvent sur cette idée, qui lui sert à expliquer l'histoire de l'humanité : « L'humanité repose sur un lit incommode. Quand le dormeur est trop meurtri, il se retourne, c'est la guerre ou l'émeute. Puis il se rendort pour quelques siècles. Il faut savoir reconnaître l'arrivée de ces bouleversements périodiques, et s'y préparer. Tournons-nous donc de bon gré jusqu'à ce que nous sentions à nouveau que nous serons mieux de l'autre côté. » [1]

La règle d'action humaine n'échappe pas à la loi du changement. Elle est si peu stable que la morale se dégrade en observation sociologique : « Les systèmes de morale ne font que mettre en forme une morale de fait. » [2]

Les lois humaines ne sont pas fondées sur une raison éternelle, mais sur des conventions, discutables mais utiles. Pas de salut pour la société hors de l'observance de ces conventions :

---

1. *Les Silences du Colonel Bramble*, p. 23.
2. *Mes Songes que Voici*, p. 37.

« Les sociétés humaines sont rendues possibles par l'acceptation de mythes utiles. Il n'est pas vrai que l'inceste soit interdit par les dieux... Beaucoup de conflits politiques et moraux sont venus, dans le passé, du refus de reconnaître que des conventions n'étaient que des conventions, ou du refus de comprendre que, bien que conventionnelles, elles étaient nécessaires. » [1]

Il est bon de tempérer la liberté par l'autorité, afin de satisfaire au besoin de tradition et de progrès à la fois. L'ordre bien compris doit préparer les chemins de la justice. La sagesse est d'imiter les grands conservateurs anglais, maîtres et pontifes de l'opportunisme social.

Pour Maurois, la vie est triste. L'homme souffre de multiples tendances qui sont en lui, censurées, et réclament leur emploi. Il peut se libérer par l'art ou par l'action. A la question « Pourquoi écrit-on ? », il répond : « Parce qu'on est malheureux. » Et il cite à l'appui de sa thèse Stendhal, Balzac, Flaubert, France, Proust, Dickens, Tolstoï... « Avoir fait quelque chose soi-même, c'est le bonheur, » dit un personnage de *Bernard Quesnay*. L'Anglais chanté par Kipling et décrit avec bonheur par Maurois, est lui aussi un homme qui s'évade par l'application à une tâche précise et nécessaire.

* * *

André Maurois a été le plus lu des écrivains français de l'entre-deux-guerres. Celle-ci aima son aisance, sa modération, son équilibre, son intelligence, sa tendresse, sa bonne grâce. Elle admira la forme classique, simple et vigoureuse à la fois, de ses ouvrages. Elle vit dans ses livres une leçon de politesse et de tolérance, d'humanité intelligente, un « art de vivre », une philosophie et une poésie de l'action. Elle crut souvent se reconnaître en lui. Elle sentit qu'il représentait, mieux que tout autre, l'effort plus ou moins conscient des meilleurs éléments de la bourgeoisie pour concilier l'individualisme de la pensée et le solidarisme de la société, la liberté de l'individu et le respect de l'Etat. Mais cette conciliation de contraires évoquait aussi des notions de facilité et de

---

1. *Idem*, p. 44.

complaisance qui satisfaisaient encore plus la lassitude de l'entre-deux-guerres. D'où le succès brillant, en apparence complet de l'écrivain. D'où aussi les critiques inspirées, à la fin de la période 1919-1939, par ce succès même.

Les anarchistes et les révolutionnaires n'aimaient guère Maurois, et cela se comprenait aisément, car sa philosophie visait à supprimer ou recouvrir les explosifs. D'autre part, beaucoup d'esprits idéalistes regrettaient le pragmatisme facile, la sagesse intéressée, l'opportunisme social qui émanaient de chaque volume de Maurois. Ses romans, disait le critique catholique Emile Rideau, contenaient presque tous une satire des ridicules de la classe bourgeoise et de la vie mondaine. Mais ce n'étaient « que des pointes taquines et non pas... cette vibration de tout l'être devant l'injustice faite à l'homme. »

Maurois, évidemment, n'est ni un révolté, ni un optimiste chrétien. Sa philosophie, comme ses héros, manque du désir, de la présence et des joies de la Grâce. Son univers, par ailleurs, n'a pas un seul de ces grands remous d'humanité qui font la grandeur d'un Dostoievski, d'un Tolstoï, d'un Dickens. On l'a comparé parfois à Voltaire, à Anatole France. Il se rattache certainement à leur tradition littéraire. Mais s'il était aussi bien qu'eux, on le voit difficilement prenant *parti* pour Calas ou pour Dreyfus. Plus qu'à Voltaire en France, c'est à Jules Lemaître que, souvent, l'on songe en le lisant.

Il a ressuscité pour nous des héros. Mais ceux-ci, pour la plupart, ne sont que des héros du « malgré tout », des héros de l'*évasion,* des héros résignés à la relativité des choses humaines, des héros intelligents reconnaissant, comme Maurois, « le caractère provisoire de toute connaissance humaine » et croyant « que notre volonté est limitée dans ses effets par des forces puissantes ».

Cependant, par moments, il a eu des élans vers un monde plus élevé et plus généreux que celui du relativisme triste. Il a prononcé quelques beaux actes de foi : « Je crois que le courage, l'amour et la charité garderont leur valeur tant qu'il y aura des hommes et que seules des aberrations passagères... pourront faire croire le contraire. Je crois... qu'il vaut mieux parler à l'homme de sa liberté que de son esclavage. » [1]

Par moments, il s'est dépassé et, en de brefs éclairs, nous a donné l'image de ce qu'il aurait pu devenir, — de ce qu'il deviendra peut-être encore.

---

1. *Conferencia,* 1er janvier 1933.

CHRONOLOGIE DE PAUL MORAND
(né en 1888)

1919 *Lampes à Arc* (Au Sans Pareil)

1920 *Feuilles de Température* (Au Sans Pareil)

1921 *Tendres Stocks* (Nouvelle Revue Française)

1922 *Ouvert la Nuit* (Nouvelle Revue Française)

1923 *Fermé la Nuit* (Nouvelle Revue Française)

1924 *La Fleur double* (Emile Paul)
Lewis et Irène (Grasset)

1925 *L'Europe galante* (Grasset)

1926 *Rien que la Terre* (Grasset)
Siam (Aux Aldes)
L'Avarice (Kra)
La Mort de l'Amour (Emile-Paul)

1927 *L'Innocente à Paris ou la jeune fille de Perth* (Kra)
Mr. U. (Cahiers Libres)
Le Voyage (Hachette)
Bouddha vivant (Grasset)
Paris-Tombouctou (Flammarion)
Magie Noire (Grasset)
Le Manuscrit autographe (J. Royère)
Tableaux de Paris (Emile-Paul)

1928 *Comme le vent* (Cahiers libres)
Charleston, U.S.A. (Liège, La Lampe d'Aladin)
Baton Rouge (Maestricht, A.A.M. Stols)
U.S.A. Poèmes (Au Sans Pareil)
Syracuse (Grasset)
Nœuds coulants (Lapina)
Rain, Steam and Speed (Champion)

1929 *Hiver Caraïbe* (Flammarion)
New York (Flammarion)
De la Vitesse (Kra)
Le Rhône en Hydroglisseur (Emile-Paul)
Le Voyageur et l'Amour (Grande Maison de Blanc)
Ma Légende (Champion)

1930 *Champions du Monde* (Grasset)
Comment voyager sans Argent (Hazan)
A la Frégate (Editions des Portiques)
Route de Paris à la Méditerranée (Firmin-Didot)

1931 *1900* (Editions de France)
Londres (Plon)
Papiers d'Identité (Grasset)

1932 *Flèche d'Orient* (Nouvelle Revue Française)
A.O.F. de Paris à Toubouctou
Air Indien (Grasset)
L'art de mourir (Cahiers Libres)

1933 *Rococo* (Grasset)
Mes Débuts (Denoël et Steele)

1934 *France-la-Doulce* (Nouvelle Revue Française)

1935 *Bucarest* (Plon)
Rond-Point des Champs-Elysées (Grasset)
La Route des Indes (Plon)

1936 *Les Extravagants* (Gallimard)

1937 *Le Réveille-Matin* (Grasset)

1938 *Méditerranée* (Tours, Maison Mame)
Isabeau de Bavière (Editions de France)

1939 *Bug O'Shea* (dans *Les Œuvres Libres*, v. 212)
Le Mouchard mouché (comédie en un acte, dans *Revue des Deux Mondes*)

PAUL MORAND

« *Pourquoi allons-nous si vite... puisque nous n'allons nulle part ? — Pour avoir plus frais et aussi parce que notre époque est un sauve-qui-peut général... et que les plus mobiles d'entre nous seuls se tireront d'affaire.* »

(Bouddha vivant)

« *Un des plus grands plaisirs de la vie est de voyager dans un carrosse roulant à toute allure.* »

(Samuel Johnson à Boswell)

« *Comptez que le monde est un grand naufrage et que la devise des hommes est sauve-qui-peut.* »

(Voltaire)

L'écrivain français qui, mieux qu'aucun de ses contemporains peut-être, a incarné le cosmopolitisme littéraire de l'entre-deux-guerres, a baigné dès sa prime enfance dans un milieu ouvert aux influences étrangères. C'est, en effet, dans une famille de Français fixée en Russie depuis 1846 qu'est né Paul Morand. Son grand-père avait dirigé la Fonderie Impériale des bronzes à Saint-Pétersbourg. Son père, Eugène Morand, était né en Russie.

« Vous ne connaissez pas les Français de Russie ? » demanda un jour notre auteur à Frédéric Lefèvre. Ce sont « de curieuses gens, ressentant plus profondément que quiconque ce qui est français, méticuleux, exquis, avec, cependant, des trésors d'indulgence pour les folies des Russes ».

Eugène Morand, qui devait devenir un peintre connu et diriger pendant vingt ans l'Ecole des Arts Décoratifs, vint se fixer à Paris avant la naissance de son fils. [1] C'était un

1. Lucien Dubech, qui avait beaucoup de talent, mais n'en est pas à une inexactitude près, fait naître Morand en Russie (*Les Chefs de file de la jeune génération*, p. 201).

esprit fort original, doué de talents divers. Son penchant pour les arts ne se limitait point à la peinture. Il s'intéressait à la musique, et mieux qu'en simple amateur. De plus, il acquit une certaine réputation comme librettiste de Pierné et Massenet ainsi que comme auteur dramatique (*Grisélidis*). Enfin il connaissait fort bien la littérature anglaise, avait traduit *Hamlet* en collaboration avec Marcel Schwob et avait fait de l'étude de la période d'Elizabeth une de ses distractions préférées.

A Paris, Eugène Morand continua à fréquenter des milieux étrangers, surtout britanniques. Son fils connut ainsi très tôt Oscar Wilde, Frank Harris, Vance Thompson. A treize ans, le jeune Paul, qui avait commencé, en France, d'assez médiocres études, fut envoyé, seul, en Angleterre. Il devait y retourner chaque été. Plus tard, sur les conseils de Lord Alfred Douglas, il se fit immatriculer à Oxford où il passa l'année 1908-1909.

« A partir de dix-sept ans, » nous dit-il, « je n'ai plus jamais fait que des études où la France n'était considérée qu'en fonction des autres pays ; de la géographie, mais universelle ; de l'histoire, mais diplomatique, c'est-à-dire l'histoire des relations entre Etats ; du droit, mais du droit international. » [1]

Plus tard, il passera des mois au British Museum à faire des lectures désordonnées, sans méthode, « pleines de hasard et de lacunes », qui élargiront encore son horizon.

Il rentre en France pour son service militaire, écrit un gros roman cosmopolite qu'il qualifiera plus tard de « *Barnabooth* manqué » et ne publiera point. Il aurait aimé devenir officier de marine. Mais il a toujours été rebelle aux mathématiques. Il se fait donc inscrire à l'Ecole des Sciences Politiques, et entre dans la carrière diplomatique. L'ère des voyages recommence.

On le voit successivement attaché, puis secrétaire d'ambassade à Londres (1913-1916), où il apprend « le sens de la terre », à Rome (1917), à Madrid (1918). Entre 1919 et 1925, il travaille au Quai d'Orsay. Il y rencontre, au ser-

1. F. Lefèvre, *Une Heure avec...*, II, pp. 37-38.

vice des œuvres françaises à l'étranger, un autre diplomate-écrivain en la personne de Jean Giraudoux. En 1925, il est chargé de la légation de France au Siam. Il ne restera que peu de temps à Bangkok, le climat ayant affecté bientôt sa santé. Mais pour rejoindre son poste et rentrer en France, il fait le tour du monde. Au cours des années suivantes, après même qu'il aura obtenu du ministère des Affaires Etrangères un congé de longue durée, il parcourra l'univers. Et il continuera à emporter, pour tout bagage, un carnet de chèques et une valise couverte d'étiquettes et de signes tracés à la craie, une valise au fond taché par les flacons d'eau de Cologne qui s'y sont entrechoqués du Pôle Nord au Pôle Sud. On comprend qu'il nous dise quelque part qu'il achète ses chaussettes en France, ses souliers en Amérique, ses chemises en Chine, ses gants en Italie, ses chapeaux en Allemagne, ses pardessus en Espagne, et le reste de ses vêtements en Angleterre.

* * *

La génération de Morand, qui a aimé les voyages, le sport et la vitesse, s'est retrouvée dans cet écrivain robuste, sportif, épris de mouvement, qui appartient, selon ses propres termes, à la famille des « Lauzun du rail » et des « Brummel de la locomotive ». Morand a l'épiderme sensible au grain des bagages en beau cuir. Il aime passer une frontière et raconter qu'il l'a passée. Il adore le grand express, l'avion et le paquebot de luxe. Ce qui ne l'empêche pas d'apprécier aussi — et de pratiquer — l'auto, le chemin de fer et le yacht. Et ce n'est pas seulement par goût de la mode. Il croit que le voyage est un moyen de culture, — peut-être le plus efficace. Pour lui, « l'exceptionnel est une manière d'atteindre le permanent ». [1]

Parfait journaliste, il croit moins à l'érudition qu'aux choses vues. Les livres, il ne les ignore point : il a pioché, outre les indicateurs Chaix et les Baedeker, mainte compilation historique ou géographique. Mais il considère le spectacle du monde avec la conviction que « son coup d'œil

1. F. Lefèvre, *Une heure avec...*, II, p. 40.

saura tirer d'un objet aperçu plus de connaissance et de sagesse qu'aucun autre homme ne ferait par une étude scrupuleuse ». Il sous-entend la pensée derrière l'image.

C'est un remarquable journaliste. Très intelligent et très habile. En dépit des procédés employés, sa « chronique planétaire » sera même, dans quelques occasions, assez pénétrante pour satisfaire les plus difficiles.

* * *

La valise littéraire de Morand commença à circuler au seuil de l'entre-deux-guerres avec deux recueils de poésies, *Lampes à Arcs* (1919) et *Feuilles de Température* (1920). Ces poèmes courts, inspirés par des impressions de guerre et d'après-guerre ainsi que par les séjours de l'auteur à l'étranger, portent la marque d'une riche imagination ; avec leur rythme syncopé, *moderne,* leur style imagé, invertébré, fiévreux, ils essaient de jeter un défi au *bourgeois* :

> Le sud pousse un vent de calorifère
> qui excite les muqueuses des égouts.
> Les nuages s'éventrent sur les paratonnerres.
> Il pleut de l'huile.
> Les ouvriers rangent leurs outils
> dans des coffres-forts.
> Les comptables rentrent chez eux,
> assis sur des étincelles bleues.
> Une dame dit :
> « Antoine a acheté des tapis et une salle à manger
> Henri II à Aubervilliers,
> et comme je commençais à péter dans ma robe
> à paniers grenat,
> Antoine m'a acheté... »
> Le monde est trouble comme si c'était la fin
> De la Bouteille. [1]

Morand poète fait songer à Cendrars, à Marinetti. Il se laisse influencer, pour une brève période, par le courant et l'école *futuristes.* Il s'intéressera aussi, pour une période

1. Liquidation (*Feuilles de Température*).

encore plus brève, au *dadaïsme*. Mais il se rend compte assez rapidement que pour lui, la poésie serait une impasse.

En 1921, l'écrivain publie, sous le nom de *Tendres Stocks,* trois contes qui composent un triptyque de portraits féminins. L'étiquette de voyage est celle de Londres, une ville que Morand connaît à fond : n'a-t-il pas franchi la Manche « plus de cent cinquante fois » ?

Les trois premières héroïnes de Morand sont fort différentes. L'heureuse Clarisse est une créature pure, précieuse, légère, diaphane, une sorte d'héroïne de Giraudoux, un portrait à la Renoir, une œuvrette impressionniste. Comme plus d'une jeune fille de Giraudoux, Clarisse préfère l'imitation au vrai, l'antique au moderne. C'est une *précieuse.*

Delphine est plus sérieuse, plus triste. Veuve de guerre encore jeune, Française perdue dans Londres, elle oscille entre le couvent et les cafés. C'est une inadaptée.

Aurore, la femme-athlète, se déclare en faveur du retour à la nature. Son dieu est l'hygiène et Morand en trace un portrait ironique et lucide. Elle est attendrissante et légèrement absurde.

Ces trois femmes sont, au fond, des épaves cosmopolites de l'ère des bars et des dancings, qui va trouver en Morand un de ses peintres les plus intelligents et les plus véridiques.

* * *

Dans *Ouvert la Nuit,* publié en 1922, Morand montre le monde de l'après-guerre, avec ses voyages multipliés, la dislocation de la « bonne société » internationale, le déséquilibre financier entre belligérants et neutres, vainqueurs et vaincus, travailleurs et rentiers, enfin le détraquement de l'individu causé par la guerre :

« C'est une génération sacrifiée, Madame, les hommes sont devenus soldats, les femmes sont devenues folles. Le destin y a ajouté encore avec un joli lot de catastrophes. »

C'est autour d'images de femmes, dans un climat romanesque, tendu, souvent glacé, d'une poésie terrible, que l'auteur reconstruit l'univers. Ses héroïnes sont au nombre de six : Dona Remedios, l'héroïne du meilleur de ses contes, *La Nuit catalane* ; Anna, la Russe (*La Nuit turque*) ; Isabelle et Léa, les deux Françaises (*La Nuit romaine* et la *Nuit des Six Jours*) ; Zaël, la Juive (*La Nuit hongroise*) ; Aïno, la Nordique (*La Nuit Baltique*).

Remedios, la Catalane, a été la maîtresse d'un agitateur récemment exécuté. Passionnée de vengeance, elle persuade un homme qui l'a aimée depuis plusieurs années de cacher une bombe à l'intérieur d'un bouquet qui sera jeté dans la voiture du roi.

La Russe est une ancienne aristocrate devenue serveuse dans un bar de Constantinople : hardie et veule à la fois comme un personnage de Kessel, pleine d'audaces spirituelles et de résignations mornes, elle reste la Russe éternelle même dans l'exil.

Aïno, la blonde Nordique, est secrétaire d'une société nudiste, hygiénique, sportive et *morale*. Bien entendu, elle n'a pour le narrateur parisien, sensuel et cynique, que le mépris qu'une femme scandinave qui se croit saine peut ressentir pour « un cochon international ». En réalité, Aïno est, elle aussi, une victime du désarroi universel de l'après-guerre. Non moins détraquée que les autres échantillons collectionnés par l'auteur, elle cherchera, elle aussi, l'oubli de ses misères et de son néant dans des compensations misérables.

Zaël, la danseuse juive, brave les lois raciales de son pays : elle rentre à Budapest pour revoir la synagogue de son enfance, se fait enlever par des antisémites et jeter dans le Danube.

Dans la *Nuit Romaine,* l'héroïne tombe très bas. Cette belle, séduisante, excentrique créature finit par être étranglée par un de ses amants. Mais elle a aimé, dangereusement, passionnément, comme une névrosée de l'après-guerre pouvait le faire.

L'autre Française, celle de la *Nuit des Six Jours,* est une petite femme dépourvue de principes mais non de sentiment. Elle va aux courses cyclistes avec son ami. Celui-ci se laisse tellement absorber par les *Six Jours* qu'il perd tout intérêt en elle.

Chaque nouvelle vaut surtout comme tableau synthétique de tout un pays, comme un paysage national, car si toutes ces nuits se ressemblent (aventure, plaisirs singuliers, brutalités, ivresses, étreintes de sexes), elles diffèrent entre elles profondément du fait de l'ambiance. Dona Remedios, par exemple, est présentée comme une femme loquace et excitable, pourvue d'un corps admirable, mais alourdi par les siestes et gonflé par le sucre, révolutionnaire, mais catholique et superstitieuse en diable. Et c'est « l'Espagnole ».

Toutes les nouvelles d'*Ouvert la Nuit* étaient écrites très agréablement, quoique assez rapidement. C'était déjà d'excellents exemples de *style Morand*. Peu d'analyse, peu de nuances, un style familier, fantaisiste, imagé, ultra-rapide. Ainsi, pour décrire un cadre et tracer un portrait de couleurs brutales et de lignes nettes, cette notation impressionniste :

« Petit salon vert et violet. Suspension en émaux translucides. Des peaux de panthères. A mi-hauteur, des rayons de livres, revêtus de rideaux de soie zinzolin...

« Jaquette, une perle baroque, des oreilles d'orang, le crâne au papier émeri et ma valise à la main ; il restait au milieu du tapis comme un chef de réception. »

Le décor est aussi mouvant qu'un film. Les images se bousculent, expriment des mouvements, rarement des états :

« Un paysage vaniteux utilisait toute la largeur de la vérandah ouverte. Les nuages s'arrêtaient au flanc de la montagne, abandonnant au soleil le rivage et la mer. A mesure qu'elle s'avançait vers cette chaleur, la falaise s'affaissait comme une glace à une devanture, malgré ses cyprès, ses cactus désarticulés, les lacets de la route qui essayaient de la retenir. » Dans un conte ultérieur, Morand évoquera des yeux « dynamiques, venant droit comme un jet de siphon ».

Les nouvelles d'*Ouvert la Nuit* faisaient penser, — et font encore penser aujourd'hui, aux conversations d'après-dîner, dans la fumée des cigares. C'est, a-t-on dit, « une délicieuse récréation intellectuelle pour les gens pressés qui ne se contentent pas des dépêches de journaux sur l'Inde ou sur la Chine, mais qui ne vont pas non plus jusqu'à lire les ouvrages de M. Sylvain Lévi ». Suivant le mot d'André Rousseaux, « M. Morand a mené Sylvain Lévi chez Hédiard... Il a mis le bouddhisme et l'âme nègre à la portée des amateurs de paprika ». Devait-on lui demander davantage et, en particulier, attendre de lui une analyse en profondeur des forces de tradition des divers pays ?

Ouvert la Nuit, fut, en quelque sorte, un triomphe littéraire — l'un des premiers de l'après-guerre. D'aucuns eurent l'impression, après la publication du livre, que notre époque avait trouvé sa formule littéraire. « Les traits de cette littérature étaient le cosmopolitisme, l'amoralisme, le déséquilibre des mœurs et des sentiments — le tout rendu plus sensible — et c'est ici que triomphe l'auteur — par le pittoresque des milieux et des situations. » (A. Billy)

* * *

Après *Ouvert la Nuit,* Morand, encouragé peut-être par le succès du titre, écrit *Fermé la Nuit.* Il y montre une série de types sociaux caractéristiques de l'après-guerre. L'Irlandais, O'Patah, est un poète révolutionnaire, sensible, nerveux, vain, naïf et sentimental. Il résume l'Irlande. Comme son pays, il est associé à un tragique parfois vulgaire et à un brillant qui tantôt confine au sublime, tantôt épouse le grotesque.

Dans la *Nuit de Charlottenbourg* (chacune de ces nouvelles s'appelle, comme dans le recueil précédent, une *Nuit*), la démoralisation de l'Allemagne de l'après-guerre est personnifiée par un baron cultivé, appauvri, blasé, hystérique et puéril, qui élève des reptiles empoisonnés et qui pousse la courtoisie jusqu'à prêter sa femme à un écrivain qui lui rend visite.

Habib, de la *Nuit de Putney,* représente la revanche du Levantin sur l'Occident, « l'envoûtement renouvelé du rationalisme hellénique pour les superstitions venues d'Asie ».

Enfin, dans la *Nuit de Babylone,* le héros est un Français, un politicien, qui, fidèle à sa race et à la coutume parlementaire, n'est jamais à court de répartie et à bout de ressources, et rebondit après chaque échec, pour toujours « retomber sur ses pattes » et partir sans rougir d'un nouvel élan vers de nouveaux honneurs et de nouveaux profits.

En 1924, Morand écrivit son premier et seul roman véritable, *Lewis et Irène*. Lewis est, comme Barnabooth, un millionnaire qui aime voyager. Mais il n'a que peu de traits communs avec le héros de Larbaud. Capricieux, extravagant, peu logique, il est à la fois lancé dans la jungle des affaires (« *Les affaires modernes, ce n'est pas du travail, c'est du pillage* ») et dans celle de l'amour. Depuis l'Armistice, il a possédé 413 femmes : il en tient un compte extrêmement précis sur un agenda réservé à cet emploi. Sur la Méditerranée, il rencontre Irène. Cette jeune veuve grecque pleine de grâces, qui a des hanches étroites et des yeux directs, emploie ses loisirs à diriger la maison de banque Apostolatos. Lewis, excédé des poupées fragiles ou trop fortes, s'éprend de cette vraie femme, qui lui donne l'impression « d'avoir en face de lui une personne sûre n'émettant que des sentiments garantis par une encaisse ». Il se met à la poursuite de l'absolu comme un vulgaire métaphysicien. Il se livre au bonheur exclusif avec une telle fougue que bientôt « il se prend à bâiller dans le plus beau décor du monde et à jouer à la Bourse la récolte d'olives des îles grecques, en cachette d'Irène, pour passer le temps ». Elle, à son tour, malgré sa sagesse, est reprise de la nostalgie des affaires : il la surprend un jour en train de fonder une succursale de la maison Apostolatos à Paris.

L'essai d'amour parfait, idéal, absolu et moderne à la fois a échoué.

Du moins, leur existence conjugale leur laisserait-elle une certaine satisfaction si Lewis n'éprouvait le désir de simplifier sa vie en mêlant sa femme à ses maîtresses. Cette absence d'éducation, cette muflerie affairiste qui est proprement la tare de Lewis, déchaîne la catastrophe. Irène se cabre devant une promiscuité dégradante. Elle quitte Lewis. La concurrence reprend sur le terrain de la banque et des affaires. Un moment Irène a le dessus. Puis Lewis l'emporte. Finalement, la frêle flamme d'amour qui, un moment, avait illuminé leurs rapports, s'éteint définitivement.

Ce récit d'affaires et d'amour d'une tonalité si vingtième siècle s'accompagne de tous les attraits de la couleur locale contemporaine : voyages en avion, courses en auto, bibelotages chez les antiquaires, âpres scénarios d'affaires industriels et, pour les nécessités immédiates du personnage d'Irène, une extraordinaire échappée sur le monde des banquiers grecs dont un critique a pu dire qu'elle valait « tous les vieux morceaux de bravoure de la littérature romantique et réaliste réunis ».

Le style est, comme dans *Ouvert la Nuit,* approprié au récit. *Lewis et Irène* fourmille de métaphores et d'images du genre de celles-ci : « Un jasmin fit soudain retentir son parfum à deux temps. » Ou encore cette autre, hardie et précise : « Les bateaux-mouches crachaient ce charbon d'Héraclée qui craque sous la dent. »

* * *

Le personnage d'Irène, la femme d'affaires moderne, était rendu par Morand d'une façon sympathique. L'auteur s'y faisait, en quelque sorte, le champion des droits de la femme.

Au contraire, dans *Champions du Monde,* Morand, qui s'efforce de caractériser certains traits de la civilisation américaine, ne cache pas l'inquiétude qu'il éprouve devant la domination exercée aux Etats-Unis par les femmes sur quelques hommes et certaines civilisations. Trop de femmes s'occupent des choses importantes. Résultat : caractère capricieux de la politique, par exemple, éclats de colère, actes sentimentaux, dépenses extravagantes, surproduction, identifiée par l'un des héros à un excès de zèle amoureux.

Morand semble voir dans les Etats-Unis, un pays de Y.M.C.A., de championnats de boxe, de femmes qui appellent leurs maris « baby », de concours de beauté, etc. Œuvre superficielle, bien sûr, avec d'assez nombreux traits de vérité. Plus tard, poursuivant son analyse de l'Amérique, Morand caractérisera les Etats-Unis fort différemment, et répondra même à la critique de l' « automatisme » américain par Duhamel :

« Je crois que les forces spirituelles de l'humanité ne sont pas l'apanage d'un pays ou d'une race, mais de quelques hommes, de toutes origines, réfugiés sur un bateau qui fait eau ; là où la coque me semble encore le plus solide, c'est aux Etats-Unis. »

Aux alentours de 1924-25, Morand, sans abandonner à proprement parler le genre du roman, se consacre de plus en plus au reportage ; et c'est la longue série de ces *Chroniques* et *Voyages,* qui vont mener le lecteur de New York à Tombouctou et d'Asie en Amérique. Ce sont parfois des ouvrages de commande. L'auteur de *New York* avoua un jour à un journaliste des *Nouvelles Littéraires* : « Un éditeur de Paris me commanda un *New York* auquel je ne pensais nullement. Je l'ai écrit aussitôt avec ardeur et beaucoup de plaisir. » Peut-être est-ce pour cette raison que Morand terminera son hâtif, amusant et superficiel essai par cette boutade :

« Rien ne peut détruire Paris, nef insubmersible. Paris existe en moi. Mais je ne suis pas toujours sûr de ce merveilleux cadeau qu'est New York. Si ce n'était qu'un rêve, qu'un essai prodigieux, qu'un avatar, qu'une renaissance éphémère, qu'un purgatoire magnifique ? »

Morand a remporté un succès énorme avec chacun de ces livres-reportages. C'est que, tout d'abord, il est le « prince des chroniqueurs ». Il a la vivacité, le savoir-faire, l'à-propos, du reporter. Il a la connaissance étendue qui permet de varier l'allusion, il a l'esprit qui la fait briller.

Il a eu, également, le flair qui devine l'actualité. Il a pressenti les modes du lendemain. Ainsi, comme l'ont fait remarquer les critiques rassis de la seconde partie de l'entre-deux-guerres, notre auteur « a pu fournir, à point, l'Europe détraquée, quand les Français qui avaient « tenu jusqu'au bout » pour défendre la France se réveillèrent Européens au moment du briandisme et du locarnisme ; puis l'Asie au moment où les cœurs que le thomisme n'avait pas réconfortés se languissaient du Bouddha ; puis le monde nègre, à l'heure où triomphèrent les « blues » ; » puis l'Amérique, deux minutes avant la vogue des écrivains tristes (Dreiser, Lewis) en France, deux minutes avant que Babbitt ne débarquât à Cherbourg, puis une rétrospective de 1900 et des *gay nineties* au jour précis où cette époque récente commençait à se duveter du charme de la désuétude... » [1] C'est un

1. Cf. A. Rousseaux, *Ames et Visages du XXe Siècle.*

jeu où Morand est passé maître. Son intelligence devance le fait avec une sûreté incomparable.

Un critique a comparé sa place parmi les écrivains de son âge à celle qu'un homme intelligent aurait pu attribuer, parmi les poètes de 1900, à Edmond Rostand. De Rostand, en effet, Morand a bien des qualités — et des défauts. Comme lui, il a le goût de l'éclat sec, de l'abrupt, de l'image et du jeu de mots, qui, dans une cassure verbale, font scintiller la fantaisie de l'esprit. « Ses images fameuses sont aussi des à-peu-près, transposés seulement sur un autre registre, comme les cocktails des bars que la nuit tient ouverts sont la transposition des alcools moins cyniques que l'on trouvait chez Tortoni. »

Presque jusqu'à la fin de l'entre-deux-guerres, Morand continuera à écrire des portraits de villes ou de routes à raison d'un ou deux par an. Les titres de quelques-uns de ses ouvrages les plus célèbres sont éminemment suggestifs : *New York, Londres, Bucarest, Rien que la Terre, Hiver Caraïbe, Paris-Tombouctou, Air Indien, La Route des Indes.*

Quelquefois, ses synthèses rapides seront un peu trop hâtives. Ainsi, dans le désenchanté *Rien que la Terre,* il notera comme exactes des histoires qu'il a sans doute entendues dans un bar, entre deux cocktails, et racontera de choquantes sottises sur les reliques de saint François-Xavier ou sur les hôtels et maisons de prostitution de Shanghaï, dont les plus grands, nous dit-il, appartiennent aux Pères Espagnols ! Pourtant, même dans ce volume, le lecteur ne peut s'empêcher d'être séduit par la description de ces îles « qui se baignent l'une derrière l'autre, immergées jusqu'aux narines comme les buffles d'eau » ; du Siam, avec « sa boue gluante et chaude de delta » ; de ces temples campagnards où le voyageur « attend parmi les cochons noirs et les prières », etc...

Le meilleur des portraits de ville est sans doute celui de *Londres.* Quelques promenades au hasard, quelques réflexions sur Dickens, sur *L'Opéra de Quat' Sous,* sur le *Journal* de Pepys, quelques notations sur le confort, le luxe, le thé, l'humour, et graduellement l'auteur nous fait découvrir la ville. Non pas hâtivement, comme le guide pour touristes. Mais subtilement, intelligemment, et avec une profonde connaissance des choses dont il parle.

* * *

En 1937, Morand revient au conte. Il publie *Les Extravagants*. Et c'est peut-être là, dans la première partie du livre, que, sous le titre de *Milady*, se trouve son chef-d'œuvre.

L'auteur y étudie une jument et surtout la psychologie de son cavalier. Il analyse, dans le décor d'une très modeste cité provinciale française de la région de la Loire, la psychologie d'un homme qui est, évidemment, un original, — un « extravagant » —, un homme dont les passions peuvent nous sembler singulières et le mode de vie ridicule, mais dont les amours et les souffrances sont aussi intenses et aussi douloureuses que le sont celles de tous les humains.

C'est dans le Saumur d'avant-guerre, le Saumur du « *cadre noir* », que s'est fixé le commandant Gardefort, sa retraite prise, après seize ans de vie d'écuyer à l'Ecole et, comme il le dit fièrement, 480 chevaux fièrement dressés par lui, dont dix-neuf en haute école. Il est convaincu que l'homme a été créé pour le dressage du cheval, selon les nobles et savantes traditions de la haute école. Il considère, au surplus, qu'il y a plus d'intelligence et de sensibilité dans une tête chevaline que dans celle d'un civil.

Retraité, Gardefort continue à monter à cheval. Derrière sa modeste demeure, il s'est ménagé un enclos d'une cinquantaine de mètres carrés dont il a fait son manège privé. Là, entre quatre murs, à l'abri des regards indiscrets, chaque matin, Milady travaille. Milady est la jument de Gardefort et c'est sa seule passion. C'est le seul être qui le comprenne, qui soit uni à lui par mille fibres secrètes et le seul dont la sensibilité se confonde avec la sienne. Milady représente le triomphe, l'apogée et le miracle du dressage.

Chaque matin, à sept heures, avec une ponctualité toute militaire, elle vient tirer la sonnette de son maître. Le commandant, alors, se sent aussi allègre, aussi jeune, aussi ardent, qu'un jeune sous-lieutenant qui va retrouver sa bien-aimée. Il dégringole l'escalier, ouvre la porte, sourit à l'amie fidèle, puis passe un doigt dans la gourmette, un autre sous la sangle et met le pied à l'étrier.

Consacrant au luxe et à la nourriture de sa jument la plus grande partie de sa solde de retraite, il est parfaitement heureux jusqu'au jour où une catastrophe imprévue vient bouleverser sa vie. Une lettre du notaire lui apprend inopinément que la liquidation de la communauté, consécutive à son divorce, le fait débiteur, vis-à-vis de sa femme, d'une somme de 50.000 francs.

Il va faire la tournée des usuriers qui ont pour spécialité de secourir, à prix d'or, les officiers dans le besoin. Il vend sa bibliothèque, ses grands traités d'équitation des XVIe, XVIIe, XVIIIe siècles. Il vend ses coupes d'argent, ses objets d'art gagnés dans les concours hippiques. On lui en donne quelques milliers de francs. Mais c'est encore insuffisant. Il ne lui reste plus qu'une possession ayant une valeur marchande : son admirable jument. L'acheteur se présente sous les traits d'un gros banquier belge, Grumbach, qui se déclare fanatique d'équitation. Pressé par la nécessité, Gardefort se résout à vendre son amie, la compagne de sa vie. Milady s'en va. Désormais l'on voit Gardefort, désespéré, errer au hasard à travers les rues de Saumur, après qu'il a passé de longues heures à contempler sa selle et ses bottes avec l'état d'âme d'un veuf qui regarderait les toilettes de sa femme.

Enfin une lettre lui parvient. Grumbach l'invite à venir voir ce qu'il a pu obtenir de Milady. Le commandant accepte d'aller en Belgique. Là-bas, la rage au cœur, il constate qu'un cavalier banal a enseigné à sa jument autre chose que ce qu'elle avait appris de lui. Il voit ce que Milady est devenue : un cheval de cirque, un « *canasson de saltimbanque* », comme il hurle avec fureur. Il injurie puissamment Grumbach et lui propose de lui montrer ce qu'il peut, lui et lui seul, exiger de Milady : lui faire parcourir, à trente-six mètres au-dessus de la vallée, la piste étroite, de soixante mètres de long, qui longe un aqueduc, sans barrière, sans garde-fou, dans le vide, en plein ciel.

Grumbach, malgré ses défauts de cavalier, a le sens et le goût du sport ; il accepte l'épreuve. Gardefort, alors, saute en selle. Impassible, dominée par lui, la bête s'avance au-dessus du vide, d'un pas lent et calme. Sans une défaillance, sans une hésitation, sans paraître voir l'abîme, elle suit la piste aérienne. Et lorsqu'elle touche au bout, d'un seul mouvement des doigts, Gardefort l'oblige à sauter et va s'écraser avec elle au fond de l'abîme.

Milady est du meilleur Morand. L'auteur y montre une science hippique impeccable, une parfaite aisance dans la technicité. D'autre part, son style, sa manière dépouillée, presque classique, est d'une simplicité qui l'apparente à nos plus grands conteurs. Nous oublions qu'il s'agit d'un cheval et d'un écuyer. Nous nous trouvons en présence d'un homme qui n'avait qu'une raison de vivre et qui préfère la mort au délaissement ou à la trahison. Et cet original, avec son fanatisme, dans ce décor si vigoureux d'une petite ville provinciale, forment un ensemble absolument parfait.

* * *

Telle est, dans son ensemble, l'œuvre chatoyante de Paul Morand. On a prononcé, à son propos, les noms de Dancourt, de Valéry Larbaud, d'Alphonse Daudet.

Robert Brasillach a le premier, dans un parallèle fort ingénieux, rapproché Morand de Dancourt : « Beaumarchais, dans le *Barbier* et le *Mariage,* Le Sage dans *Turcaret,* Dancourt, dans d'innombrables comédies, ont peint, eux aussi, une société légère, déjà perdue, qui cherchait à travers les plaisirs (le jeu, l'amour, l'argent), le divertissement pascalien ».

Il est parfaitement exact que Morand a été un excellent témoin de l'après-guerre et du monde des oisifs, des déclassés et des noctambules. Mais il a su ensuite s'adapter, avec ses contemporains, à l'évolution de l'entre-deux-guerres, depuis la sous-période cosmopolite de 1920-25 jusqu'à la sous-période du « redressement » de 1934-40, ce qui en fait un admirable témoin de l'ensemble de ces vingt années.

Comme Larbaud, Morand a le « sens du monde ». Mais il est plus osé, plus moderne. Beaucoup moins cultivé aussi, et beaucoup plus « journaliste ». Tandis que Larbaud est resté un écrivain pour l'élite, Morand a obtenu des tirages inouïs — au détriment, bien entendu, de la pérennité de son œuvre. D'autre part, tandis que Larbaud a subordonné son décor à ses personnages, Morand a choisi de faire de ses personnages des cadres de pays.

Peut-on rattacher Morand à la tradition de Daudet ? Oui certes, en un sens : comme Daudet, Morand est un excellent conteur, léger, vivant, spirituel. Il semble même qu'il ait réalisé « une transposition littéraire de la prose familière d'après-guerre, mélange d'un certain ton de bonne compagnie et d'argots de toute sorte ; exactement comme Daudet avait découvert la prose familière Second Empire ». A vrai dire, Morand, plus encore que Daudet, est inégal. Et *Lewis et Irène* ne nous fait oublier ni *Les Lettres de mon Moulin* ni *Adolphe* ni la *Princesse de Clèves.* Mais il est exact qu'on ne pourra parler de la prose et des tendances littéraires de cette époque sans mentionner au moins une fois le nom de leur créateur. A ce point de vue, Morand a été le Daudet de la période.

Des morceaux choisis de son œuvre seront indispensables dans toute histoire « documentaire » de l'Entre-Deux-Guerres et dans toute anthologie, tant des écrivains du voyage que des chroniqueurs et des conteurs contemporains.

CHRONOLOGIE DE GEORGES BERNANOS
(né en 1888)

1926 *Sous le Soleil de Satan* (Plon)
1927 *L'Imposture* (Plon)
Saint Dominique (Editions de la Tour d'Ivoire)
1928 *Madame Dargent* (Editions des Cahiers Libres)
Une nuit (Cité des Livres)
1929 *La Joie* (Plon)
1931 *La Grande Peur des Bien-pensants, Edouard Drumont* (Grasset)
Noël à la Maison de France (Editions des Cahiers Libres)
1934 *Jeanne, relapse et sainte* (Plon)
1935 *Un Crime* (Plon)
1936 *Journal d'un Curé de campagne* (Plon)
1937 *Nouvelle Histoire de Mouchette* (Plon)
1938 *Les grands Cimetières sous la Lune* (Plon)
1939 *Scandale de la Vérité* (Nouvelle Revue Française)
Nous autres Français (Nouvelle Revue Française)
1942 *Lettre aux Anglais* (Atlantica Editora, Rio de Janeiro)

GEORGES BERNANOS

« *Qui cherche la vérité de l'homme doit s'emparer de sa douleur par un prodige de compassion.* »

(La Joie)

« *Nous avons haï les surhommes et le surhumain, nous avons toujours cru qu'entre le naturel et le surnaturel il n'y a pas de place pour le surhumain.* »

(Lettre aux Anglais)

Né en 1888, Georges Bernanos vécut ses premières années dans « un minuscule hameau du pays d'Artois, plein d'un murmure de feuillage et d'eau vive ». [1] Modeste, retiré, très hostile aux chapelles littéraires et à la société de son temps, ce « grand garçon sauvage à la tête de lion » vint assez tard à la littérature. Jusqu'aux approches de la quarantaine, il n'avait guère offert au public qu'un petit nombre d'articles parus, avant la guerre, dans de modestes revues. Il n'était guère connu que dans quelques milieux monarchistes qu'il avait fréquentés depuis son adolescence. Il débuta dans le roman au printemps de 1926, en publiant, au *Roseau d'Or,* un étonnant ouvrage de trois cents pages serrées, intitulé *Sous le Soleil de Satan.* Ce fut un succès immédiat et un véritable événement littéraire. Ce coup de maître, difficile à égaler même pour l'auteur, posa de suite Bernanos au premier rang des maîtres de la littérature et de la jeunesse pensante de l'entre-deux-guerres. Aux yeux de maint critique, Bernanos est d'abord et restera, avant tout, l'auteur de *Sous le Soleil de Satan.*

* * *

Sous le Soleil de Satan se compose de deux parties et d'un prologue. Le prologue, qui fait songer tantôt à Thomas Hardy, — un Hardy plus puissant, — tantôt à Barbey d'Aurevilly, conte, en quatre-vingts pages réalistes, denses et touffues, l'histoire de Germaine Malorthy.

---

1. *Les Grands Cimetières sous la Lune,* p. 44.

Germaine est la fille « de ces Malorthy du Boulonnais qui sont une dynastie de meuniers et de minotiers, tous gens de même farine, à faire d'un sac de blé bonne mesure, mais larges en affaires et bien vivants ». A seize ans, elle n'ignore plus le parti qu'on peut tirer des hommes. Cette jolie fille vicieuse, folle de son corps, orgueilleuse, passionnée de vivre, de sentir son pouvoir, de contenter la bête frénétique qui s'agite en elle, se repaît du mensonge avec délices. Séduite par le hobereau du village, elle devient enceinte. Repoussée par son amant, elle le tue dans une querelle, moitié par accident, moitié par colère. Après quoi, elle va trouver le docteur Gallet, le politicien de l'endroit qui est aussi son amant, et lui demande un avortement. Il refuse. Alors elle lui avoue son crime, que personne n'a songé à lui attribuer et qui restera impuni des hommes, et elle l'épouvante de sa perversité. Finalement, elle tombe dans une crise de nerfs et on l'enferme dans un asile d'où elle sortira « un mois plus tard, complètement guérie, après avoir accouché d'un enfant mort ».

Cette histoire est évidemment symbolique du monde hideux d'appétits et de jouissances qui s'épanouit au « Soleil de Satan ». Contre le Démon, que peuvent la philosophie et la morale ? que peut l'homme seul ? Satan s'amuse sardoniquement de leurs ridicules efforts, condamnés d'avance. Satan ne redoute que Dieu et ses Saints.

La première et la deuxième partie constituent le roman — dans la mesure où l'on peut appeler roman un livre aussi fort, aussi original, aussi éloigné du romanesque ordinaire. L'auteur nous conte la vie d'un de ces hommes qui ont pris la Croix contre laquelle se brisent les séductions de l'Esprit du Mal. Bernanos semble avoir tiré son inspiration de la vie d'un saint moderne, Jean-Baptiste Vianney. Le narrateur prend le ton des biographies imaginaires, fait allusion aux témoignages, cite des textes, bref, raconte, à l'aide d'épisodes et de dialogues parfois un peu longs, la vie d'un homme qui est devenu un saint.

L'abbé Donissan nous est d'abord présenté comme un vicaire de campagne rude, sauvage, balourd. Avec ses épais souliers crottés, sa soutane en lambeaux, son corps d'athlète mal dégrossi, il ne peut que froisser les goûts de ses supérieurs, à commencer par le délicat, l'aristocratique chanoine Menou-Segrais. Celui-ci désespère de transformer en un prêtre convenable ce rustre qui ne sait pas parler en chaire, qui n'a aucune éducation, dont les seuls plaisirs sont d'aider les couvreurs sur les toits et les paysans aux champs, et qui rapporte de ces fréquentations une odeur d'étable peu agréable aux dévotes.

Cependant la grâce a ses desseins sur ce lourdaud. Il est appelé à cette Rédemption qui continue dans les membres du Christ jusqu'à la fin des siècles. Il éprouve l'angoisse même du jardin des Oliviers, la sueur de sang causée, nous dit-on, non point par la vision des tourments futurs mais par le terrible mystère de l'inutilité du sang divin pour les âmes qui préféreront à leur rédemption les enchantements du Séducteur. Ces âmes, l'abbé Donissan voudrait les arracher au Malin, dût-il payer cette victoire de sa propre béatitude. Alors s'engage entre les deux adversaires un épuisant tournoi dont l'abbé sort vainqueur, mais à bout de forces, en proie aux délires.

Une nuit, le diable l'égare dans la campagne et lui apparaît sous forme d'un maquignon ambulant, « le gars de Marelle ». Mais son ange gardien le sauve sous forme d'un honnête carrier qu'il connaît. Enfin, il rencontre Germaine Malorthy ; il se rend compte qu'elle est possédée et le lui dit. Elle comprend alors son cas et se donne la mort. Il enlève le cadavre et le porte à l'église, ce qui cause grand scandale.

Plus tard, nous revoyons l'abbé Donissan pourvu de la cure de Lumbres et d'une réputation de sainteté engendrée probablement par quelques miracles qui se sont produits entre temps. Ses scrupules et ses troubles augmentent sans cesse. Dispensateur de paix, il ne peut trouver la paix pour lui-même. Il se demande si sa vie a eu un sens. Il est persuadé que les saints sont l'objet élu de Satan, qui leur inflige tour à tour la tentation du désespoir et celle de l'orgueil. Un jour, il essaie de ressusciter un enfant mort. Est-ce sur l'ordre de Dieu ? est-ce sur celui du Diable ? Sa déception lui fait mesurer sa prédestination à un salut difficile, mais assuré.

Enfin, le curé de Lumbres, aimé peureusement de ses confrères, admiré par la foule, assailli par les fidèles et exploité comme un thaumaturge par les pénitents, meurt d'une crise cardiaque, après une lutte opiniâtre de tous les instants : les saints, chez Bernanos, connaissent des agonies torturées. Ce même jour, un illustre académicien sceptique, l'écrivain Saint-Marin — caricature à peine exagérée d'Anatole France — était venu visiter le curé de Lumbres avec curiosité. Depuis la mort du saint, des miracles s'opèrent sur la tombe de l'abbé Donissan.

* * *

Bernanos a dit, dès son premier roman, ce qu'il avait à dire, avec une dure franchise : il s'agit de savoir *ce que l'homme fait de Dieu*. La même idée se retrouvera dans tous ses autres ouvrages.

L'Imposture — le second roman de Bernanos — est un livre sombre, assez bizarre. Le héros, l'abbé Cénabre, est un grand historien ecclésiastique, analyste délicat, ironiste nuancé, subtil érudit. Mais l'auteur des *Mystiques florentins,* quoique « professeur d'analyse morale, répugne à se voir en face ». Il perd la foi et tombe dans un enfer plus froid que celui du blasphème, car « dans le blasphème, il y a quelque amour de Dieu ». L'ambition, l'orgueil, la dissimulation en ont fait la proie de Satan.

« Pour donner idée d'une âme ainsi désertée, rendue stérile, il faut penser à l'enfer où le désespoir même est étale, où l'océan sans rivages n'a ni flux ni reflux... »

C'est à l'effroyable crise morale de l'abbé Cénabre qu'est consacrée la majeure partie du roman. Et c'est évidemment le cœur du sujet. Cénabre avait une âme. Cette âme a laissé perdre ce qu'elle avait d'unique et d'essentiel. Elle tend vers le néant. Voilà ce qui, aux yeux de Bernanos, est proprement monstrueux et digne d'être stigmatisé.

Les autres personnages ont, évidemment, moins de relief. Pourtant, quelques images s'imposent. D'abord, en face de l'Imposteur, l'abbé Chevance, le « confesseur des bonnes » :

un saint homme de vicaire, une âme nue, pauvre en esprit, qui fait une mort édifiante. Puis, divers milieux de catholiques démocrates sur qui Georges Bernanos exerce son mépris et sa férocité avec vigueur. Enfin, une jeune personne, nommée Chantal de Clergerie, qui, pénitente de l'abbé Chevance, est la fille d'un ami de l'abbé Cénabre. Cette petite sainte laïque, cette mystique dans le siècle, est destinée à nous montrer ce qu'André Thérive appelle « la puissance des mérites secrets pour sauver les âmes perdues ».

* * *

L'Imposture, ouvrage manqué, en dépit de quelques pages extrêmement élevées, est loin d'être le meilleur roman de Bernanos. Mais le troisième, *La Joie,* est extrêmement puissant. Couronné en 1919 par le jury du Prix Femina - Vie Heureuse, il dépasse de beaucoup en stature l'immense majorité des choix de cette « Académie Goncourt des dames ».

Le roman, qui achève la trilogie commencée avec *Sous le Soleil de Satan,* défie l'analyse. Essayons au moins de présenter les principaux personnages.

M. de Clergerie est un châtelain provincial que douze ennuyeux volumes d'érudition ont porté à l'Institut. Ce « petit homme noir et tragique, avec une tête de rat », est un pharisien timide, ignoble et académique. Sa mère est une vieille dame à moitié folle. Sa fille, la jeune Chantal de *La Joie,* est restée orpheline à dix-huit mois. C'est un agneau sans tache qui a reçu des dons mystiques remarquables et rachètera par sa pureté la corruption des autres. Parmi les autres personnages, notons, à côté de l'abbé Cénabre, l'Imposteur orgueilleux et sans foi, M. la Pérouse, un vieux psychiâtre borné et célèbre, le chauffeur Fiodor, un personnage assez conventionnel qui représente la perversité slave, le désir de l'humiliation et de la souillure ; [1] la bonne Francine, que Fiodor a corrompue et initiée aux stupéfiants.

---

1. Bien que *La Joie* se passe plusieurs années avant la révolution soviétique (l'abbé Cénabre mourra en 1912), Fiodor est supposé être un ancien officier de Denikine, échappé aux bolchevistes. Il y a là une invraisemblance criante. Mais les romans de Bernanos ne sont nullement des romans historiques et la vraisemblance y importe peu.

Fiodor poursuit Chantal. Ivre d'éther, il finit par l'assassiner. Après quoi, il se tue, dans la chambre de la jeune fille. Une cuisinière loquace tire la morale du drame :

« On ne m'ôtera pas de l'idée qu'elle a voulu cette mort-là — pas une autre — celle-là. Elle n'était jamais assez humiliée, elle ne désirait que le mépris, elle aurait vécu dans la poussière. Ce Russe, c'était le plus méchant de nous tous, sûrement. Alors, c'est de lui qu'elle aura souhaité recevoir sa fin... Jamais elle n'a raisonné comme vous ou moi, pauvre ange... Et maintenant les gens vont hocher la tête, faire des cancans, on dira qu'elle était folle ou pis... Elle aura tout renoncé, monsieur, je vous dis, même sa mort. »

Quant à l'abbé Cénabre, il devient fou et tombe, la face en avant, en murmurant *Pater Noster* « d'une voix surhumaine ». La dernière phrase du livre nous indique qu'il mourra sans avoir recouvré la raison. Peut-être du moins aura-t-il gagné son salut, en vertu de compensations sublimes et mystérieuses.

* * *

En 1931, Bernanos publie un énorme pamphlet, la *Grande Peur des Bien-Pensants.* C'est d'abord, un hommage à Edouard Drumont, cet étonnant écrivain d'humeur, pamphlétaire royaliste et antisémite, qui fut une des admirations de la jeunesse de Bernanos. Mais les parties les plus vibrantes du livre sont celles où l'auteur dénonce le désordre et les convulsions de la démocratie capitaliste, où il montre au doigt la misère, « la misère (qui) s'est mise à hurler à chaque carrefour de vos villes de fer, la misère avec son linge haillonneux et ses bas de soie, son indéfrisable, ses bijoux de cuivre et ses atroces parfums, la misère au cœur féroce et frivole, la misère des dancings et des cinémas, grimaçante parodie de la pauvreté qui crache sur le pain et le vin ». Bernanos demande à la société de retrouver l'Ordre, un ordre acceptable pour l'homme, l'ordre impliqué dans la conception d'un catholicisme et d'un monarchisme bien compris.

* * *

Quatre ans plus tard, Bernanos revient au roman avec une nouvelle étude religieuse et psychologique, *Un Crime*

(1935). Mais l'ouvrage, qui se présente, dans une large mesure, comme un roman policier, est presque entièrement manqué. L'atmosphère est étonnante, mais la donnée invraisemblable : il est difficile d'admettre qu'une femme puisse tenir le rôle d'un curé de campagne pendant plusieurs jours sans que ses paroissiens le découvrent. Le livre ne se rachète même pas par les éclairs fulgurants qu'on a coutume de rencontrer dans tout le reste de l'œuvre de l'écrivain.

* * *

Le Journal d'un Curé de Campagne (1936) est, par contre, une œuvre de premier ordre. Ce roman « noir » et « heurté » possède une tragique grandeur à laquelle peu de lecteurs sauraient rester insensibles.

Un jeune prêtre, à sa sortie du séminaire, est nommé curé d'une petite paroisse dans le Nord. Il a une lourde hérédité (alcoolique) qui a rendu sa santé précaire mais qui, en amenuisant ses traits, lui a conféré une sorte de distinction et de mélancolie aristocratiques.

A peine a-t-il fait le tour de son fief spirituel qu'il s'aperçoit du terrible adversaire contre lequel il aura à lutter. Cet ennemi insidieux, puissant, c'est l'*ennui,* tapi derrière toutes les portes, embusqué dans toutes les âmes et étendant son flot noir autour de lui. Le jeune prêtre croit trouver un appui auprès des châtelains, car leur renommée de bonté et d'attachement aux traditions spirituelles n'est point surfaite. Mais à mesure qu'il pénètre dans cette forteresse, tandis qu'obéissant à ce qu'il croit être son devoir, il s'efforce de gouverner ces âmes hautaines et fermées, il constate avec épouvante que la luxure, la haine, la révolte ravagent le château, comme l'ennui dévore les humbles demeures de ses autres paroissiens.

Dans cette cruelle épreuve, les conseils d'un vieux prêtre rude, sans illusions et sans peur, le réconfortent, mais ce soutien moral disparaît bientôt. Tout paraît manquer à la fois au jeune curé de Torcy : la médisance, la méchanceté l'environnent, sa santé est ruinée, ses supérieurs le jugent sans indulgence. Un de ses anciens camarades du séminaire, qui a abandonné la prêtrise et qui, auprès d'une compagne dévouée, essaie de lutter contre la vie écrasante, l'appelle. Le narrateur voit l'affreuse déchéance d'un homme qui veut se faire illusion à lui-même et qui transforme son existence sordide en une sorte d'épopée, dont il serait le héros.

C'est dans le logement de ce malheureux que le prêtre mourra, vaincu par le mal qu'il a hérité de ses ascendants. Mais avant de mourir, il aura un aperçu de ce qu'est l'amour humain, capable, quand il est pur et simple, de se hausser jusqu'à l'amour divin. La confession de « la compagne », une humble fille qui a trouvé dans son cœur des mouvements d'une admirable délicatesse, est la première parole de foi entendue par le prêtre, peut-être, depuis qu'il est pasteur des âmes, et c'est cette pauvre fille qui lui ferme les yeux.

L'auteur a choisi un sujet difficile et fort. L'émotion du lecteur est d'autant plus profonde que les effets de l'art soulignent l'ampleur du tableau. L'architecture romanesque du livre est en effet particulièrement soignée. Mais c'est surtout par le caractère spirituel des personnages et du dialogue que vaut ce *Journal*. Certaines pages sont d'une puissance et d'une âpreté extraordinaires. Tel ce passage sur le « pauvre », où le vieux prêtre s'animant, dit au curé de Torcy :

« Après vingt siècles de christianisme, tonnerre de Dieu, il ne devrait plus y avoir de honte à être pauvre... Ou bien vous l'avez trahi, votre Christ ! Je ne sors pas de là, bon Dieu de bon Dieu ! Vous disposez de tout ce qu'il faut pour l'humilier, le riche, pour le mettre au pas. Le riche a soif d'égards, et plus il est riche, plus il a soif. Quand vous n'auriez eu que le courage de les foutre au dernier rang, près du bénitier ou même sur le parvis — pourquoi pas ? — ça les aurait fait réfléchir. Ils auraient tous louché vers le banc des pauvres, je connais. Partout ailleurs les premiers, ici, chez Notre-Seigneur, les derniers, voyez-vous ça ?

« Oh ! je sais bien que la chose n'est pas commode. S'il est vrai que le pauvre est à l'image et à la ressemblance de Jésus — Jésus lui-même — c'est embêtant de le faire grimper sur un banc d'œuvre, de montrer à tout le monde une face dérisoire sur laquelle, depuis deux mille ans, vous n'avez pas trouvé moyen d'essuyer les crachats. Car la question sociale est d'abord une question d'honneur. C'est l'injuste humiliation du pauvre qui fait les misérables. »

* * *

La Nouvelle Histoire de Mouchette (1937) est bâtie sur une antithèse frappante : fierté et sordidité.

Mouchette est la fille d'un ivrogne. Elle a quatorze ans. Elle a grandi comme une sauvageonne. Sa mère, annihilée par la pauvreté, les mauvais traitements, les maternités trop fréquentes, a été incapable de la soigner et de la surveiller. Le père ne sait que donner des coups. L'école, pour l'enfant, n'est qu'un lieu d'ennui et d'humiliation.

Mouchette sort de l'école et s'égare dans les bois. Elle y rencontre un jeune bandit, Arsène, qui l'emmène dans son antre, allume un feu pour elle, et lui donne à boire de l'alcool. Non par charité, bien entendu, mais pour avoir une chance de satisfaire son brutal désir.

Tous ces faits sont relatés avec beaucoup de chaleur, mais l'intrigue n'est pas la chose essentielle. Les événements extérieurs sont utilisés surtout comme une charpente pour le drame moral. Mouchette est à peine capable de penser ou de comprendre, encore moins d'analyser ses sentiments. L'énergie vitale, chez elle, prend la forme de la fierté, de l'orgueil.

Elle trouve Arsène beau, mais l'amour naissant qu'elle éprouve pour lui ne peut conquérir son dégoût pour les relations physiques. Les violences qu'elle a subies développent en elle une irritation sauvage contre les humains. Quand elle rentre chez elle, elle trouve sa mère mourante. La douleur qu'elle pourrait en ressentir ne suffit pas à la détourner de ses obscures et fières pensées. Elle va bientôt quitter une existence qui trahit trop la beauté et la vérité de la vie. Certes, les mots et les idées de virginité et de pureté n'ont aucun sens pour son intellect obtus, mais elle possède un instinct moral qui la pousse au remords et assurera son salut devant l'Eternel.

En 1938, Bernanos revient au pamphlet avec *Les Grands Cimetières sous la Lune.* C'est un « témoignage » et une attaque vengeresse, pleine de verve, contre l' « épuration » de Majorque, pendant la guerre civile espagnole, par les Italiens et le clergé fasciste.

C'est aussi une vigoureuse offensive contre les « imbéciles », contre la bêtise stagnante, contre la souveraineté de l'Argent :

« L'idée de grandeur n'a jamais rassuré la conscience des imbéciles. La grandeur est un perpétuel dépassement et les médiocres ne disposent probablement d'aucune image qui leur permette de se représenter son irrésistible élan... Mais l'idée de progrès leur apporte l'espèce de pain dont ils ont besoin... »

... « J'admire les idiots cultivés, enflés de culture, dévorés par les livres comme par les poux et qui affirment, le petit doigt en l'air, qu'il ne se passe rien de nouveau, que tout s'est vu. Qu'en savent-ils ? L'avènement du Christ a été un fait nouveau. La déchristianisation du monde en serait un autre... »

... « Les hommes du Moyen Age n'étaient pas assez vertueux pour dédaigner l'argent, mais ils méprisaient les hommes d'argent. » Aujourd'hui, sous le coup furieux de l'Argent, « la chrétienté a péri, l'Eglise chancelle. Que tenter contre une puissance qui contrôle le Progrès moderne, dont elle a créé le mythe, tient l'humanité sous la menace des guerres, qu'elle est seule capable de financer, de la guerre devenue comme une des formes normales de l'activité économique, soit qu'on la prépare, soit qu'on la fasse ? »

Après Munich, Bernanos part pour le Brésil, d'où il enverra son *Scandale de la Vérité* (1939) et sa fougueuse *Lettre aux Anglais* (1942), — deux ouvrages de polémique et d'un polémiste magnifique.

Dans *Scandale de la Vérité,* Bernanos attaque et affirme. Il attaque ses anciens maîtres et amis de l'extrême-droite maurrassienne et il se réclame de Péguy :

« Le courant de la pensée maurrassienne, poursuivant sa route à travers les souches profondes de la bourgeoisie conservatrice, a fini par l'orienter vers les dictatures. La doctrine nationaliste peut bien conduire à la monarchie, la mystique du nationalisme intégral aboutit à la dictature du salut public. »[1]

Péguy avait attaqué Jaurès pour avoir « trahi la mystique ». Homme de droite, Bernanos dénonce en Maurras un politicien de droite qui, à ses yeux, a fait autant de mal que les pires politiciens de gauche :

... « Je n'ai jamais été républicain. J'ai cru, à seize ans, qu'il (Maurras) était l'homme du coup de force, qu'il descendrait dans la rue. Je l'ai cru parce qu'il me l'affirmait, qu'il ne cessait pas de l'affirmer. Je dis qu'aucun politicien n'a exploité avec moins de vergogne l'image d'un risque qu'il était bien décidé à ne pas courir. Je distingue volontiers entre M. Maurras et M. Jaurès. Il n'en est pas moins vrai que leurs destinées politiques se ressemblent. Tous deux humanistes, tous deux professeurs, également ignorants ou secrètement dédaigneux du vrai peuple, également experts à parler le langage de l'action, à noyer l'action réelle dans la phraséologie de l'action, à l'amortir, à l'étouffer, à la prendre toute vivante dans un minutieux réseau d'objections pertinentes, de réserves judicieuses, d'ironies, d'indignations feintes, de dénigrements méthodiques, le premier a brisé l'élan syndicaliste, poussé peu à peu son parti dans le cul-de-sac de l'union des gauches comme le second jette le sien dans l'impasse de l'union des droites. »...

Charles Maurras, ce jacobin qui s'ignore, est « un homme de 93 », à la différence de Charles Péguy qui, lui, était un « homme de 89 », et répond bien davantage à l'idéal de Bernanos :

« L'homme de l'Ancien Régime avait la conscience catholique, le cœur et le cerveau monarchistes, et le tempérament républicain. C'est un Type beaucoup trop riche, hors de la portée des intellectuels bourgeois. »

---

1. *Scandale de la Vérité*, p. 44.

Bernanos prend position pour l'Honneur français, traditionnel et chrétien :

« L'Histoire de mon pays a été faite par des gens qui croyaient à la vocation surnaturelle de la France et qui étaient assez bêtes pour mourir, alors que la destinée naturelle des réalistes me paraît être les obsèques nationales et l'Académie. »

* * *

Les *Lettres aux Anglais* sont une œuvre d'actualité, dont beaucoup de passages tomberont ou sont déjà tombés. Mais certaines dénonciations gardent toute leur valeur lorsque l'événement qui les a provoquées est déjà oublié. Lorsque Bernanos s'attaque à « l'internationale des bourgeois », lorsqu'il analyse la renaissance de l'Etat païen qu'il définit assez justement « une assurance contre tous les risques », il projette la lumière la plus vive sur la faillite d'une civilisation qui a, depuis le Moyen Age, perdu le sens des relations humaines. Bernanos croit que la guerre ne liquidera cette faillite que si certaines conditions sont remplies. Toutes les formes d'asservissement doivent être brisées :

« Si vous n'y prenez garde, ce que les dictateurs ont voulu faire en quelques années sera fait en cinquante ou cent ; mais le résultat sera le même, l'Etat aura tout conquis, tout séduit, tout absorbé ; vous n'aurez échappé aux demi-dieux totalitaires que pour retomber tout doucement dans la glu de la dictature anonyme. »

* * *

Ce qui frappe d'abord chez Bernanos, c'est sa puissance, sa fougue, sa force d'indignation. Son style est éloquent, lyrique, violent, enthousiaste, passionné. « Il parle ses livres, » a-t-on dit, « il y vit en partisan, il y combat, il y juge. »[1] Il peut être éclatant et dur, s'il est parfois « d'une lenteur et d'une insistance paysannes ». Toujours, il dit ce qui lui tient au cœur, sans ménagement, sans habileté, par-

1. Marcel Arland, *Nouvelle Revue Française*, 1er décembre 1929, p. 835.

fois avec gaucherie. Toujours il est grave et mâle. Bernanos a horreur de l'art qui n'est que faible et charmant. A un critique qui avait désigné Jacques Rivière comme un de ses « maîtres », il répondit une lettre « amicale et fulgurante » où il lui reprochait de céder au charme de cet « impuissant ». [1]

Cette fougue, Bernanos la doit à la puissance, à l'ardeur, à l'exigence de ses convictions. Il déteste les tièdes, les impurs, les hypocrites. Il a dénoncé avec vigueur l'influence de Renan et de France dont il a horreur :

« Les contradictions de Renan, sa sensibilité femelle, sa coquetterie, son égoïsme sournois, ses brusques attendrissements, tout dénonce une âme qui se dérobe par une volontaire dissipation. » Quant à Anatole France, il l'a peint sans pitié dans son premier roman sous les traits du sceptique Saint-Marin.

Il considère avec effroi le « crime du néant ». Il oblige ses héros — Mouchette ou Cénabre, une pauvre fille ou un candidat à l'Académie — à ressentir leur vide, à l'avouer, à trembler devant lui.

Bernanos est dans la tradition de la plus haute, de la plus exigeante, de la plus âpre littérature catholique du XIXe siècle. C'est l'héritier de Léon Bloy et d'Edouard Drumont.

Apologiste du catholicisme, Bernanos montre plus profondément peut-être que Mauriac, comment le catholicisme transmue, assume et exalte l'inquiétude. La foi torture parce qu'elle exige l'amour divin, c'est-à-dire l'amour le plus pur et le plus rigoureux, le plus crucifiant qui soit. Elle n'est pas confortable.

A travers l'œuvre de Bernanos, il y a l'âpre recherche du divin. Aux voix qui demandent si Dieu n'est pas oublié, Dieu, par la voix de Bernanos, répond qu'Il est présent. Il dit aussi qu'un bon chrétien n'aime pas tellement les miracles : suivant l'heureuse formule d'André Rousseaux, « un miracle, c'est Dieu qui fait lui-même ses affaires ». Il ne faut pas chercher à faire les affaires de Dieu. Bernanos, lui,

---

1. J. P. Maxence, *Histoire de Dix Ans* (Gallimard, 1939), p. 46.

fait reparaître Dieu dans l'homme. « C'est-à-dire à sa place, en somme, s'il est vrai que Dieu ait voulu l'homme à son image, et que par surcroît Il l'ait sauvé en prenant son corps pour mourir... » Voilà par où il domine ses contemporains, y compris les révolutionnaires qui aspirent au divin comme à une revanche de l'humain. « Chez lui, la divine armature est toujours présente dans l'homme, prête à saillir sous la chair et à la transfigurer. C'est pourquoi il y a tant de prêtres dans son œuvre : ces prêtres ne sont pas tous des saints, il s'en faut, mais tous tiennent leur vie suspendue au bord d'un destin dont l'écrivain nous découvre largement l'immensité. Position privilégiée d'un esprit pour qui l'absolu n'est pas un postulat, mais un appui. La Vérité, la Vie, qui sont l'objet de tant d'épuisantes recherches, Bernanos en a la notion certaine, et c'est ce qui le rend plus fort qu'un autre. Notre temps s'épouvante d'une civilisation qui n'aurait pas d'âme. Bernanos se met tranquillement à la suite de celle pour qui l'âme est l'essentiel. Il place *l'honneur d'être un homme* plus haut que personne ne le fait autour de lui. » [1]

Bernanos se détache de la plupart de ses contemporains par son traitement de l'acte charnel. Un trop grand nombre d'écrivains de l'entre-deux-guerres ont pu paraître asservis par cette hantise qui souvent les épouvante. Bernanos, lui, surmonte avec une fière élégance ce « morne souci ». Il sait que notre nature peut muer en conquêtes ce qui ne serait que bassesse animale si l'instinct ne se dépassait pas lui-même.

Chez Bernanos, le tourment n'abat pas l'homme. Il l'exalte, il le grandit. Tandis que chez un Drieu la Rochelle, par exemple, la tragédie de l'angoisse est passive, chez Bernanos elle est énergiquement, puissamment active.

Bernanos est loin d'être un conformiste. C'est même un non-conformiste absolu. C'est un révolutionnaire violent, passionné, doué d'un tempérament magnifique. Mais ce n'est ni un individualiste absolu, ni, comme on l'a dit trop souvent, un « anarchiste chrétien ». Il est catholique, traditionaliste,

---

1. A. Rousseaux, *Ames et Visages du XXe Siècle,* pp. 300-301.

attaché à l'Ordre, un ordre humain, chrétien et vivant, un ordre vivifié par la Charité. C'est une sorte de Croisé. A Malraux, autre Croisé, qui s'écria jadis : « La Révolution ou la Mort ! », Bernanos réplique : « La Charité ou l'Enfer ! » « La Charité, sans laquelle l'homme n'est rien, rien qu'un animal comme les autres, et faute de laquelle la communauté qu'il est seul à pouvoir composer dans la Création retombe également à rien. Ou l'Enfer, qui s'ouvre sous ce néant, quand une humanité folle de son âme a tout fait pour s'y précipiter. » [1]

1. *Rousseaux*, op. cit., p. 312.

CHRONOLOGIE DE JEAN GIONO
(né en 1895)

1924 *Accompagnés de la Flûte* (Editions « Cahiers de l'Artisan »)

1929 *Colline* (Grasset)
Un de Baumugnes (Grasset)

1930 *Regain* (Grasset)
Manosque des Plateaux (Emile-Paul)
Naissance de l'Odyssée (Kra)
Présentation de Pan (Grasset)

1931 *Le Grand Troupeau* (Nouvelle Revue Française)

1932 *Eglogues* (Ed. P. Q. G.)
Jean le Bleu (Grasset)
Solitude de la pitié (Nouvelle Revue Française)

1933 *Le Serpent d'Etoiles* (Grasset)

1934 *Le Chant du monde* (Nouvelle Revue Française)

1935 *Que ma Joie demeure* (Grasset)

1936 *Les vraies Richesses* (Grasset)

1937 *Batailles dans la Montagne* (Nouvelle Revue Française)
Refus d'Obéissance (Nouvelle Revue Française)

1938 *Lettre aux Paysans sur la Pauvreté et la Paix* (Grasset)

1939 *Précisions* (Grasset)

1940 *Pour saluer Melville* (Nouvelle Revue Française)

JEAN GIONO

« Fuir le vide des concepts qui appartiennent au dehors, sentir la grâce des créations éternelles, et rendre à son corps le poids d'une réalité d'expérience. »

(J. Josipovici, *Lettre à Jean Giono*, p. 64)

« ... vivre dans un monde véritable donne une simple sagesse plus délicieuse que les fruits et l'eau fraîche des sources... »

(Préface aux *Vraies Richesses*)

Il est relativement peu important, pour qui veut connaître Jean Giono, de savoir qu'il est né en 1895, d'un père cordonnier et d'une mère repasseuse et qu'il fut employé de banque avant de connaître le grand succès littéraire. Par contre, deux détails biographiques sont indispensables à l'intelligence de l'homme et de son œuvre : Giono est né à Manosque et il a lu Homère.

C'est un bonheur pour tout le monde de voir le jour à proximité des bords du lac méditerranéen : nulle part, peut-être, la terre et le ciel ne se prêtent mieux aux plaisirs et aux jeux de l'imagination. Mais c'est, pour un poète, une chance inestimable de naître sur les plateaux de Haute-Provence, loin des villes maudites où rien n'est pur, dans une terre de légendes, de traditions religieuses et de mysticisme personnel. Là, le poète peut, comme l'auteur des *Géorgiques* ou celui de *Mireille,* tirer son inspiration de la vie pastorale, des troupeaux qui passent, du rythme des saisons.

La petite ville de Giono, Manosque, les plateaux dont elle est proche, se trouvent à mi-chemin de la Crau et des alpages. Là passent les grands troupeaux « qui coulent sur les routes comme des fleuves ». Là Giono a pu connaître des bergers, apprécier la sagesse de ces « mages, serviteurs de l'esprit de la terre », goûter leur poésie naïve et pure. Il a pu sentir l'odeur des bêtes et des plantes, écouter le passage du vent sur le plateau, s'abandonner à la contemplation des admirables couleurs de la terre et du ciel.

Il le connaît à fond, son petit terroir enfermé entre Baumugnes et la montagne de la Lure. Il le chante, ainsi que la vie dure et pleine des paysans, ses amis, dans tous ses livres. On lui a reproché de n'être pas sorti de son pays, de n'avoir pas, comme Mistral, « rompu le cloisonnement, chanté aussi bien que le mas des environs d'Arles, la sauvage Camargue, et les pêcheurs du littoral, et le Rhône de Lyon à Avignon ». Mais c'est volontairement qu'il s'est enfermé dans ces limites étroites. Sa technique même voulait qu'il conjuguât, de volume en volume, ce « Je suis de Manosque » dont un critique s'est plaisamment moqué. En réalité, ses livres sont consciemment et doublement de Manosque. Avant d'envoyer un manuscrit à Paris, il en lit de longs passages aux hommes de son village, afin de recevoir ce qu'il appelle « le grand enseignement des paysans ». C'est ce qui explique, en partie du moins, cette âpreté d'expression et cette manière directe et naïve de présenter les choses qui caractérise son style.

* * *

Mais il ne faut pas sous-estimer le côté homérique de Giono. Obligé de gagner sa vie très tôt, choqué par le milieu où il devait travailler, le jeune homme se réfugia auprès de « ces amis qui ne déçoivent pas, les livres ». Disposant de peu d'argent et dépourvu de guide dans le choix de ses lectures, il commit quelques erreurs en achetant au hasard des auteurs modernes. Alors, dit-il, décidé à aller vers les livres qui durent longtemps, « je pris la Bible, l'Odyssée, l'Iliade, les grands tragiques grecs ». Il lut d'abord et surtout l'Odyssée. Elle lui fut révélée par la traduction de Leconte de Lisle et, plus tard, par celle de Victor Bérard qui lui rendit Homère plus proche et presque contemporain.

De cette passion pour l'Odyssée est né un des tout premiers ouvrages de Giono, cette délicieuse « Naissance de l'Odyssée » où, sur un fond homérique, il brode des aventures à la fois anciennes et modernes. Ce livre pourrait porter en sous-titre « Reconnaissance à Homère ». Car Homère a révélé à Giono « un monde nouveau qui pourtant n'a jamais changé et un « paysage éternel ». D'autre part, il lui a donné une bonne partie de sa technique de poète épique.

* * *

Tous les ouvrages de Giono sont plus ou moins marqués par l'inspiration homérique et par celle de la terre, de la nature et des hommes de son pays.

Colline, le premier récit de la trilogie de *Pan,* décrit les survivances du passé de superstitions de la Haute-Provence. L'un des personnages les plus intéressants est le vieux Janet, dont l'agonie remplit le début du livre. Janet est considéré par son village comme une sorte de sorcier et d'ami des forces inconnues de la nature. Malade, il dit que tout vient des serpents qui sont dans ses doigts ; il faut tirer des doigts les serpents et les jeter par terre :

« Là, sous la chaise, tout à l'heure, j'en ai jeté trois : un tout petit vert, un serpent d'herbe ; sur le dos on dirait qu'il a trois tiges d'avoine tressées. Je ne sais pourquoi, quand il est sorti de mon doigt, il m'a dit : « Eh Auguste. » Je m'appelle pas Auguste ? Je m'appelle Janet. »

Plus tard, le vieux s'attire la haine du village lorsqu'on le soupçonne de nuire à ses voisins par ses opérations magiques.

Mais, plus que n'importe quel personnage, c'est, terre, vent, eau ou feu, c'est la nature qui, dès le premier roman de Giono, est le héros du livre. L'auteur, qui connaît à fond son Homère, a retrouvé l'animisme des Grecs. Pour lui, l'orage est « comme un taureau fouetté d'herbes » ; pour lui, les collines sont vivantes (elles ne se dérangent pas, « il faut les contourner en leur passant sur le ventre ») ; la pluie est « rageuse » ; bref tout vit, tout se confond dans la vie universelle, autrement dit dans le Grand Pan.

Dès cette époque, Giono songe que sa voie sera de « rénover les grandes tragédies grecques, ressusciter Pan et les mystères terrestres du merveilleux paganisme, extraire l'âme et la substance spirituelle de tout ce qui vit, les nuages, la plaine, le vent, le ciel étoilé. » ... « Je veux vous parler des vérités éternelles de la terre et vous faire approcher de joies telles que celles que vous connaissez déjà vont s'éteindre comme s'éteignent les plus grandes étoiles quand le soleil saute par-dessus les montagnes. »

* * *

Un de Baumugnes (1929) est une histoire d'amour contée dans un style rustique et vigoureux qui, encore une fois, rappelle celui des poèmes homériques. Le narrateur est un simple ouvrier des champs, mais cet homme sans culture est, bien qu'il ne s'en doute guère, un poète rustique. Comme son créateur, il aime la vie, la liberté, il est sensible à la beauté des choses, il aime l'amitié, le dévouement, il pense par images, « par d'innombrables images qui jaillissent de toutes ses phrases comme les fleurs d'un pré au printemps » : [1]

« Les choses dans la terre, mon vieux, j'ai tant vécu avec elles, j'ai tant fait ma vie dans l'espace qu'elles laissaient, j'ai eu tant d'amis arbres, le vent s'est tant frotté contre moi que, quand j'ai de la peine, c'est à elles que je pense pour la consolation. Je regardais donc mon pays dans moi, et c'était de la douleur ; mais, dans l'orme, là, en face, ce fut le rossignol qui chanta, puis, tous les bassins ronflèrent sous les gosiers des rainettes, puis la chouette se mit à chanter et alors, la lune sauta par-dessus la colline... Ce matin-là, beau jour couleur de paille et à peine né que, parfumé à la rose, il riait en jouant dans les peupliers... Ça chatouillait toute ma peau. La vie s'appuyait contre ma bouche avec son bon goût... »

Albin, le héros, est un homme des hautes vallées. Il est « de Baumugnes » :

1. D. Mornet, *Introduction à l'Etude des Ecrivains français d'aujourd'hui*, pp. 190-191.

« Moi, j'ai dans moi Baumugnes tout entier, et c'est lourd, parce que c'est fait de grosse terre qui touche le ciel, et d'arbres d'un droit élan ; mais c'est bon, c'est beau, c'est large et net, c'est fait de ciel tout propre, de bon foin gras et d'air aiguisé comme un sabre... »

Albin a rencontré un soir Angèle, une jeune fille de ferme. Mais Angèle est séduite par un mauvais garçon et emmenée à la ville où elle roule dans les pires turpitudes. Elle revient à la ferme avec un petit bâtard et son père, honteux et farouche, la séquestre dans une cave. Albin, aidé de son ami Amédée, l'ouvrier agricole, recherche Angèle, qu'il veut sauver de ses anciens amis au cœur tors et pourri. Il la retrouve, l'enlève, — elle et son fils, — puis retourne à la ferme afin d'obtenir le consentement du père. Celui-ci n'ose pas résister à « cet homme pur comme de la glace ». Un foyer heureux est fondé là-bas, dans les hautes vallées.

* * *

Regain (1930) n'est peut-être pas le plus beau livre de Giono, mais c'est sa meilleure « histoire ». L'intrigue, d'une grande simplicité, est fort émouvante.

Quelque part, sur un plateau dénudé, un petit village perdu des Basses-Alpes se voit abandonné de tous ses habitants. Les maisons s'écroulent, l'herbe a envahi les ruelles. Il ne reste plus, dans une masure, qu'un braconnier têtu et sauvage, Panturle, qui s'est juré de ne jamais descendre dans la plaine, et une vieille sorcière italienne qui demeure fidèle à la terre où sont enfouis son mari et son fils morts.

Panturle est un de ces personnages qui font la conquête immédiate du lecteur et se détachent, par leur relief, sur le fond d'une œuvre. Il est difficile d'oublier la façon dont nous est présenté cet « homme énorme » dont « on dirait un morceau de bois qui marche. Au gros de l'été, quand il se fait un couvre-nuque avec des feuilles de figuier, qu'il a les mains pleines d'herbe et qu'il se redresse, les bras écartés pour regarder la terre, c'est un arbre. Sa chemise pend en lambeaux comme une écorce. Il a une grande lèvre épaisse et difforme, comme un poivron rouge. Il envoie la main lentement sur toutes les choses qu'il veut prendre. Ce qu'il veut prendre, généralement, ça ne bouge pas ou ça ne bouge plus. C'est du fruit, de l'herbe, ou de la bête morte ; il a le temps. Et quand il tient, il tient bien.

« De la bête vivante, quand il en rencontre, il la regarde sans bouger : c'est un renard, c'est un lièvre, c'est un gros serpent des pierrailles. Il ne bouge pas ; il a le temps. Il sait qu'il y a, quelque part, dans un buisson, un lacet de fil de fer qui serre les cous au passage.

« C'est un homme encore jeune. Il y a du sang dans ses joues ; l'œil est vif. Il y a du beau poil sur les joues : du beau poil bien sain, bien arrosé de sang. Il y a sur les os de la bonne chair épaisse, de la chair de quarante ans, dure et faite à la vie. Il a des mains solides ; la force coule comme de l'huile jusqu'au bout de ses doigts... » Mais Panturle est devenu méchant, à force d'être seul dans le village mort : « Quand on est seul, on est méchant ; on le devient. Je n'étais pas comme ça avant. »

Après tant d'autres, l'Italienne part à son tour, mais c'est pour ramener une femme à Panturle. Car l'Italienne veut ressusciter le village, et il faut, pour cela, que l'homme trouve une compagne. Elle la découvre, finalement, à quelques kilomètres du village, sous la forme d'une pauvresse déchue, Arsule, d'abord recueillie par un vieux rémouleur ambulant dont elle traîne la voiture et qu'elle a suivi pour gagner sa pauvre soupe. Une nuit, tandis que son compagnon sommeille, Arsule se donne au braconnier et accepte de le suivre dans sa maison. Du coup, Panturle reprend goût à l'ouvrage. Il défriche un coin de terre, il le laboure, il y sème du grain. Le braconnier et sa compagne travaillent dur, et à eux deux, ils vont faire repousser le blé et fumer la cheminée. Ils ont « de grands corps calmes » et « des cœurs simples comme des coquelicots ». Ils auront des enfants, et un beau jour, en août, c'est Panturle qui offrira le plus beau blé sur le marché de Manosque. Et la vie reviendra sur les ruines, car d'autres hommes encore, fatigués des villes, viendront les rejoindre. L'amour a fécondé la terre.

* * *

L'intrigue du *Chant du Monde* (1934) est, comme celle de *Regain,* simple et attachante. Un père est inquiet sur le sort de son fils, parti chercher du bois en amont du fleuve. Il essaie de le retrouver, mort ou vif, et s'en va à sa recherche, accompagné du pêcheur Antonio. Le jeune homme, qu'une femme a retenu là-haut, est finalement retrouvé. Après quelques aventures, Antonio et lui reviennent avec deux femmes du haut pays.

Mais l'intrigue est secondaire, car *Le Chant du Monde* est toute poésie. L'auteur, et à travers lui, le lecteur, *sentent* constamment la beauté de la nature. Comme son héros Antonio dit *Bouche d'Or,* Giono baigne dans le fleuve de la vie. Poète, peintre, musicien, il évoque souvent des « correspondances » baudelairiennes :

« Ça sentait le bois et l'eau. Des fois, une odeur de sève épaisse et sucrée passait, et Antonio la sentait à sa droite, puis à sa gauche, comme si l'odeur avait fait le tour de sa tête lentement. Il y avait aussi une odeur de feuille verte et des élancées d'un parfum aigu qui partait en éclairs de quelque coin des feuillages. Ça avait l'air d'une odeur de fleur et ça scintillait comme une étoile semble s'éteindre, puis lance un long rayon. »

* * *

Que ma joie demeure (1935) est un hymne à la joie totale, celle de l'âme et du corps.

En Bobi, le héros, Giono a incarné le meilleur de lui-même. Comme son créateur, Bobi essaie de « guérir les hommes de leur lèpre ». Il s'ingénie à les réunir, à leur donner le goût de la vie en commun. Il est l'apôtre de la joie par la bonté, par le renoncement au désir égoïste. Pour faire descendre la joie sur le triste plateau de Grémone, il achète un animal de cirque, — un cerf qui danse de la façon la plus charmante et qu'on laisse courir en liberté sur les terres des paysans. Il invente de semer des narcisses, de planter des alisiers, d'abandonner le grain en monceaux pour les loriots, les tourterelles, les verdiers, les fauvettes, les tarins, les rousseroles. Grâce à lui, la terre se couvrira de fleurs, les cerfs et les biches bondiront sur le plateau. Les plaies seront éteintes. Peu importe que lui-même, à la fin du récit, meure frappé de la foudre. *Que ma joie demeure* démontre que « la richesse de l'homme est dans son cœur. C'est dans son cœur qu'il est le roi du monde ». [1]

* * *

Les Vraies Richesses (1937) ne sauraient prétendre au nom de roman ni d'essai. C'est plutôt un hymne épique, dans lequel Giono chante, encore une fois, la joie qu'il veut voir régner sur le monde.

La première ennemie de la joie, c'est la peur de la mort. Giono attaque de front cette grande épouvante du genre humain. Dès sa *Préface,* il s'applique à rendre même la mort attrayante. Il y décrit la graduelle métamorphose d'un cadavre. Le voici qui repose sur une partie inaccessible d'un plateau. Il est là, à terre, sans sépulture. Les renards, les oiseaux, les fourmis, les mouches — en un mot, la création entière — s'acharnent sur ce cadavre pour s'en nourrir. Les plantes enrichissent leurs racines de cet humus organique. Ce n'est pas un travail de décomposition, c'est un travail de recomposition, c'est une reconstitution grandiose. L'homme mort n'est pas seulement une poignée de cendres qui s'éparpillent aux vents. Il est devenu renard, oiseau, fourmi, mouche, plante, arbre ; il est répandu sur toute la nature ; il poursuit sa vie éternelle sous de multiples formes. La peur est uniquement en nous. Elle représente une des subtiles duperies de notre intelligence. Giono nous enseigne qu'il n'y a pas de mort, ni pour l'âme, ni pour le corps.

Que faut-il faire pour restituer la joie au monde ?

D'abord, s'attaquer à la soi-disant civilisation moderne. L'auteur l'affirme avec force à maintes reprises :

« La société construite sur l'argent détruit les récoltes, détruit les bêtes, détruit le monde véritable, détruit la paix, détruit les vraies richesses...

« Vous avez droit aux récoltes, droit à la joie, droit au monde véritable, droit aux vraies richesses ici-bas, tout de suite, maintenant, pour cette vie. Vous ne devez plus obéir à la folie de l'argent. »

---

1. *Les Vraies Richesses*, p. 85.

La grande ville, symbole de cette civilisation inhumaine, atrophie et mine les êtres humains :

À Paris, « rien ne se repose. Tout s'utilise à l'extrême, même l'emplacement des gestes. Rien n'est vierge. Rien n'arrive neuf jusqu'à vous. Tout a été fatigué, utilisé, tripoté. Absence totale de pureté dont ils ne s'aperçoivent même pas. Dont ils ont besoin à la fin ! »

Le prophète pénètre dans la ville pour y apporter l'espoir et réveiller dans le cœur des citadins les vieux levains rustiques. Au Tourangeau, il parle de la plaine fertile, de la suavité de l'air, des forêts magiques ; au Vendéen, il rappelle le Bocage, pour le Breton, il évoque les forêts d'Arcont et la ceinture dorée d'Armor, avec les beaux caps granitiques ; il lui redonne le goût salin sur les lèvres, et le « fougueux baiser du vent marin ».

Il se multiplie, il se répand à travers les rues et les avenues, dans les restaurants et les ateliers, les taudis et les palaces. Et à chacun il dit : « Je suis avec toi, quoi que tu fasses, et je te dis que le monde t'accepte tel que tu es et qu'il n'a pas à pardonner parce qu'il n'y a rien à pardonner, et que les champs de blé, les prés fleuris, les glaciers, les torrents et les forêts de hêtres sont pour toi et t'appartiennent honnêtement avec toute leur pureté comme ils appartiennent au saint des saints...

« Je suis le compagnon en perpétuelle révolte contre ta captivité, qui que tu sois, et si tu n'es pas révolté en toi-même, soit que le travail ait tué toutes tes facultés de révolte, soit que tu aies pris goût à tes vices, je suis révolté pour toi malgré tout pour t'obliger à l'être. »

La deuxième grande ennemie que Giono combat, c'est l'*intelligence,* parce qu'elle fausse l'instinct. L'intelligence est une « Antigone misérable et majestueuse » qui mène par la main l' « Œdipe aveugle » que nous sommes tous. Tandis que cette Antigone promet à son père déchu la divinité future, l'aveugle se plaint d'être « une chose fermée ». Et l'homme décide soudain qu'il en a assez de souffrir ; il part seul, à l'aventure. Si l'intelligence veut le suivre, tant mieux ; si elle refuse, tant pis. En tout cas, l'homme part, les bras tendus, pour une reprise éperdue de contact avec l'univers :

« Marchant vers tout, aveuglément mais avec appétit. Tâchant d'être une force de mélange et d'amour. Entrant dans la communauté. Ne conservant que mon sens de l'Eternel, qui est aussi une force commune, pour que mon amour ne soit pas une chose de peu de jours, mais une chose de tous les jours et éternelle. Tant qu'à la fin de nouveaux yeux germeront sur mon front, brutaux et gluants comme des bourgeons de châtaigniers. »

Enfin il faut se débarrasser à tout prix des choses inutiles. Il faut vivre avec le minimum de gestes et de besoins pour que les gestes qui persistent soient nobles et les besoins réels aisément contentés. Ici, Giono décrit la vie de son petit village des Basses-Alpes et l'offre en exemple au reste du monde.

Il faut écouter les leçons de la Terre. Celle-ci nous parle d'abord d'humilité. Il faut nous incliner vers la terre pour que la joie nous soit donnée. Il faut obéir à l'ordre de la nature. « L'ordre est parfois bien difficile à comprendre, » dit un personnage du *Chant du Monde,* mais il faut écouter avec insistance et l'on finit toujours par entendre. Humble et obéissant, l'homme retrouve sa place naturelle dans le monde.

Les hommes « s'aperçoivent que la seule abondance utile est l'abondance de nourriture et que le reste ne compte pas, qu'on peut très bien vivre comme ce petit bouleau gris... pendant que la forêt continue sa lourde marche, sa bataille, sa dévastation des fausses richesses. Alors, ils abandonnent le charnier, ils regardent le petit arbre et ils trouvent qu'il est en très bonne santé. Ils admirent l'écorce qui est d'une finesse extraordinaire ; ils n'imaginaient pas que ces taches d'un ocre léger ou d'un vert-de-gris si naturellement tendres soient en même temps naturellement douces au toucher. Le luisant du feuillage les émerveille, la chanson du vent les enivre. Ils sont bouleversés par une chose qu'ils comprennent tout d'un coup : l'équilibre parfait d'un être vivant. Ils entendent leur ancienne intelligence s'effondrer dans leur tête. Ils comprennent que la nature n'agit pas pour une fin, mais qu'elle est une fin elle-même. »

La grande leçon pratique du livre, c'est surtout le mépris des richesses matérielles, du succès et de la « fausse science » :

« On a dû te dire qu'il fallait réussir dans la vie ; moi, je te dis qu'il faut vivre, c'est la plus grande réussite du monde. »

Quant à la science, ce n'est pas une manière de se pourvoir d'un métier ; c'est une noblesse intérieure qui ne doit pas porter obstacle à la vie simple.

Telle est cette contre-partie de la *Terre* de Zola où Giono prend si délibérément le contre-pied du naturalisme pessimiste pour nous ouvrir des visions épiques magnifiques. Certes, il y a des lecteurs qui sont rebelles à ce mélange de paganisme, d'évangélisme et de visions bibliques. Mais Giono ne s'en impose pas moins comme une de ces forces de la nature qu'il se plaît à nous décrire, comme un des grands traducteurs de la langue de Pan, comme un des grands prêtres du retour à la Nature et aux *Vraies Richesses.*

* * *

Batailles dans la Montagne (1937) est essentiellement la description d'une terrible inondation dans la montagne. Le principal personnage du livre n'est pas un être humain : c'est l'*eau,* l'eau des torrents, des ruisseaux, des glaciers.

Elle se fait annoncer dans tout ce pays de montagne par un bruit de chaudron qui se met à bouillir ; par une furieuse odeur de boue ; puis par une sorte d'angoisse dont les animaux sont saisis — les vaches tirent sur leurs chaînes ; les chevaux et les mulets frappent contre les murs des étables. L'eau se fait annoncer également par une tombée de la nuit qui ressemble à une avalanche « où le jour bondit comme une étrange bête lumineuse et désespérée » ; par des chutes d'arbres qui dressent leurs racines mouillées et luisantes. Bientôt l'eau apparaît partout entre les pierres et un homme déclare : « Nous voilà comme des mouches sur une éponge. »

Voilà le prélude de la bataille, des batailles plutôt, qui se livrent dans la montagne.

Le mystère, les tumultes, les silences, l'horreur du fléau nous sont fortement rendus dans une langue dure, parfois râpeuse, par moments étincelante, toujours exacte. Sur le sol, une masse noire « se traîne doucement, épaisse et ronde, pareille à une langue de bœuf ». C'est l'avancée d'une énorme masse de boue qui coule lentement comme un mortier et qui sera encore plus impressionnante quand une grosse étoile solitaire la fera luire.

Des formes fantastiques se mêlent à cette confusion.

« De grandes ombres marchaient à travers la vallée, debout comme des personnes humaines, faites de pluie et de soir. »

On ne reconnaît plus les bruits. Le ruissellement céleste des torrents ressemble au grésillement de l'huile sur le feu. Des ruisseaux grondent ou hurlent comme des bêtes. D'un bord à l'autre du lac qu'est devenue la vallée, les voix qu'on entend n'ont plus rien d'humain. « Le poitrail blanc des eaux se cabre subitement dans les ténèbres. » On entend des cris d'épouvante. Les malheureux qui cheminent avec de l'eau jusqu'à la ceinture et quelquefois jusqu'aux épaules rêvent de mettre le pied sur quelque chose qui ne fuit pas ou qui ne les tire point en bas. L'un d'eux dit : « Oh ! pouvoir dormir sur la solidité de la terre et *mourir dans les horreurs ordinaires.* » Le matin qui tombe à travers cette nuit d'horribles cauchemars, « s'allonge comme une larme d'huile, puis s'élargit à la surface des eaux ».

Le glacier s'émeut. Il est saturé d'eau : « ses crevasses se remplissent et se vident par en bas, comme des bonneaux qui se débondent. » Le ciel est magnifique comme il peut l'être parfois par les nuits de catastrophes. Au-dessus de cette dévastation silencieuse et de l'épaisseur des nuages, le firmament est clair et pur. « Le glacier, » nous dit superbement Giono, qui n'est pas ennemi de la préciosité, « le glacier avait posé sa joue toute pure contre la belle joue du ciel, et ils étaient là, tous les deux, à vivre doucement l'un contre l'autre. » Et tous les deux aussi indifférents à la misère des êtres humains que l'un engloutissait et dont l'autre allait éclairer les cadavres. Ces contrastes portent jusqu'au fond des âmes l'émotion tragique.

La collaboration de la glace et de la clarté produit d'étonnants effets. Giono nous parle « d'une chair de glace extraordinairement gonflée de lumière verte » et de ces glaçons qui sortent « de là-bas, du fond, minuscules et encore un peu entourés d'ombre ; puis cette lumière de l'aube, maintenant aigre et salée, les touchait, et ils se dépouillaient d'un seul coup pour devenir purs, tout allumés de bords d'acier, approchant avec ce bruit métallique des ongles de chien sur les pierres. »

Enfin la délivrance vient. Les vergers commencent à émerger ; les chemins ont l'air de ruisseaux ; les eaux laissent derrière elles d'immenses marécages.

L'intrigue proprement dite de *Batailles dans la Montagne* est accessoire. Mais parmi les épisodes du livre, assez nombreux, quelques-uns sont extrêmement dramatiques.

Voici d'abord l'épisode du *taureau,* qu'on a pu comparer à une peinture à la Goya. Un grand taureau « couleur d'argile, au garrot épais comme trois gerbes de blé », celui qu'on nomme le Doré, le tueur de chevaux, n'a jamais obéi à personne. Le Doré aborde au rivage. Il « se débarrasse de l'eau comme d'un manteau » et se jette furieusement sur la première créature qu'il voit. C'est une femme. Il lui crève la poitrine, la lance devant lui toute désarticulée « et regarde paisiblement le ciel ». Les hommes lui donnent la chasse, et le plus hardi d'entre eux, un certain Saint-Jean, toréador improvisé, finit par le tuer.

Deuxième épisode : le même Saint-Jean et une toute jeune fille vont, au péril de leur vie, chercher de la dynamite que les forestiers ont cachée dans un roc, et la rapportent pour faire sauter les obstacles du fond des gorges et libérer les eaux prisonnières.

Enfin, l'action principale se livre entre quatre personnages, deux hommes et deux femmes. Boromé, un homme riche, a acheté, après la mort de sa femme, la ferme du Chêne Rouge, la plus haute habitation de tout le territoire. Il y est resté seul trois ans, au bout desquels il a fait demander à une femme, qu'il avait rencontrée chez le charron, si elle voulait venir le servir. Elle accepte, à condition d'amener sa fille. Sarah, la mère, et Marie, qui a quinze ans, arrivent un soir. « Elles avaient toutes les deux d'énormes bouches calmes. » Après avoir mangé, elles lisent dans la Bible et montent se coucher. Puis la mère descend. Elle a compris que cet homme a besoin d'une femme qui sera vraiment, entièrement, sa compagne. Loyalement elle devient sa femme. Elle avait laissé en bas un autre homme — un homme d'une quarantaine d'années comme elle. Ils s'étaient connus au chantier, où elle faisait la soupe. Tous deux s'aimaient, mais il ne s'était pas déclaré, et « elle ne pouvait pas attendre ».

Sarah est robuste, saine, sensuelle — elle dit « terrestre » — réservée, avec un fond de timidité — travailleuse aussi. Elle porte la paix sur son visage et en elle. Un personnage du livre lui dira : « Vous êtes toujours la même femme : on a une grande confiance quand vous êtes là. » Elle a trouvé en Boromé un homme dont les yeux sont beaux, dont la bouche, qui parle dur, sait être tendre, et qu'elle peut admirer. Elle se donne à lui qui touche à la vieillesse, comme un fruit mûr.

Mais elle aime toujours Saint-Jean, le vainqueur du taureau, le conquérant de la dynamite. L'inondation les remet en face l'un de l'autre. Saint-Jean voudrait enlever Sarah à Boromé. Il prétend demander conseil au vieil homme. Celui-ci lui dit :

« Tu veux te marier ? Vous vous aimez : passe sur tout, n'écoute rien, écrase tout le monde. Moi... »

Et Boromé éprouve le besoin de raconter à Saint-Jean des choses de sa vie ; il a eu vingt-huit femmes, sans compter la sienne, et il a trente-quatre enfants encore vivants. Un régiment... Un régiment... et « le capitaine, lui, portant le drapeau sur lequel il y a écrit : « Solitude ». »

A quelques pas des deux hommes, Sarah dort. Saint-Jean dit : « Si elle partait de son gré ? » — Boromé : « Je lui ferais comprendre que j'en mourrais. » — Saint-Jean : « Vous vous la laisseriez arracher sans vous battre ? » — Boromé : « tu parles toujours de te battre, avec ta voix âpre. Parce que tu es fort. Moi, je ne suis pas fort... » — Vous ne pourriez pas reprendre votre force pour quelque temps ?

C'est idiot, » s'écrie Saint-Jean, « mais je donnerais ma vie pour que vous soyez brusquement l'homme le plus fort de la terre. »

Et Saint-Jean, quittant Boromé sur ces paroles, franchit le seuil et se perd dans l'ombre.

« Qu'est-ce que vous faites là ? » dit doucement une voix près de lui. C'est Marie, la fille de Sarah, si brave, si secrète, qui a risqué la mort pour lui et qui l'aime sans aucun doute. Mais quand elle s'avance vers lui et veut le toucher de la main, il est déjà parti. Peut-être, au terme de ce prestigieux poème, Giono veut-il faire entendre que par delà la jouissance et la joie, il y a place pour le sacrifice et la douleur.

* * *

Poète de la vie, Giono a été résolument, énergiquement, courageusement hostile à la guerre. Il n'a jamais caché ses sentiments pacifistes. Déjà *Le Grand Troupeau,* son *Iliade* du conflit de 1914-1918, était une condamnation implicite de la guerre. Plus tard, Giono n'a pas craint de publier des textes irréductibles. Son *Refus d'obéissance* est peut-être, avec *Mars ou la Guerre jugée* d'Alain, la protestation la plus entière qu'un écrivain de l'entre-deux-guerres ait exprimée contre la guerre.

Celle-ci paraît à Giono encore plus absurde qu'horrible. Ce qui le dégoûte en elle, « c'est son imbécillité. J'aime la vie. Je n'aime même que la vie ». Il comprend qu'on la sacrifie à une cause juste et belle. Il a soigné des maladies contagieuses et mortelles sans jamais ménager son don total. Mais la guerre est bête, parce qu'inutile.

La vie de l'homme ne peut, ne doit s'abolir que dans la vie du monde physique : « J'ai écrit pour la vie, » dit Giono. « J'ai écrit la vie, j'ai voulu saouler tout le monde de la vie. J'aurais voulu pouvoir faire bouillonner la vie comme un torrent et la faire se ruer sur tous ces hommes secs et désespérés, les frapper avec des vagues de vie froides et vertes, leur faire monter le sang à fleur de peau, les assommer de fraîcheur, de santé et de joie, les déraciner de l'assise de leurs pieds à souliers et les emporter dans le torrent. »

« Mon sacrifice ne sert à rien qu'à faire vivre l'état capitaliste. Cet état capitaliste mérite-t-il mon sacrifice ? Est-il doux, patient, aimable, humain, honnête ? Est-il à la recherche du bonheur pour tous ? Est-il emporté par son mouvement sidéral vers la bonté et la beauté et ne porte-t-il la guerre en lui que comme la terre emporte son foyer central ? Je ne pose pas les questions pour y répondre moi-même. Je les pose pour que chacun y réponde en soi-même.

« Je préfère vivre et tuer la guerre, et tuer l'état capitaliste. Je ne veux me sacrifier qu'à mon bonheur et au bonheur des autres. »

La révolte de Giono contre la guerre, comme sa condamnation du monde moderne est, au fond, une révolte de poète, — non d'économiste ou de théoricien. Giono est généreux, bon, il aime la vie et la nature, il condamne de toutes les fibres de son être tout ce qui est contre la nature et tout ce qui est laid, mauvais, faux et stupide. Peut-être a-t-il par trop tendance à ne voir de la société que les tares. Peut-être lui manque-t-il d'avoir voulu se pencher sur la nature humaine aussi bien que sur la nature. Telle quelle, son œuvre n'en est pas moins belle, forte et, par sa fraîcheur, par son admirable optimisme, des plus réconfortantes.

* * *

Le style de Giono est par moments obscur et — assez rarement — encombré de patois. Il est parfois intarissable comme l'eau de ses glaciers, cette eau qui jaillit par toutes les fissures, cette eau qui « s'est cherché des couloirs et des canalisations, passant par les rayures les plus minces, dans des traces qui sont l'emplacement de minuscules racines vieilles de mille ans dans le creux du granit. Elle les trouve, entre, passe, écarte, pousse, frappe, recule, frappe, recule, comme le battement du sang entre dans le poignet d'un homme, ébranle, fend, écrase, passe, descend, remonte, se tord, s'épanouit, s'élargit comme les rameaux d'un chêne, se tord, se boxe, se rejoint, se noue, se construit comme une ruche d'abeilles, crève la muraille de Muzelliers, saute dans le vide comme une arche de verre ».

Mais à d'autres moments, il lui suffit de quelques gestes, quelques mots, pour que le personnage se grave en nous : alors il est un grand romancier. Cette qualité de style tient à sa conception de la technique du poète. Il voudrait transmettre le langage confus des paysans, « présenter Pan » intact, nu, Pan avant le péché, c'est-à-dire « avant que son souffle n'ait été modifié par aucun chalumeau ».

Giono voudrait écrire comme les bergers parlent, c'est-à-dire avec ce « chaos de mots hérissés et tragiques, espèce la plus sauvage des jargons de mer, fait de provençal, de gênois, de corse, de sarde, de niçois, de vieux français, de piémontais et de mots inventés sur place pour le besoin immédiat. La langue des hommes libres et une langue bondissante ». [1]

Giono, en dépit de ses efforts pour retrouver une sorte de simplicité *primitive,* est un grand écrivain.

C'est un admirable peintre. Quand il peint ses collines, il les peint avec leur couleur et leur volume. Lorsqu'on lit un de ses livres, on voit se dérouler une série de tableaux magnifiques, celui par exemple des murs ocrés d'une maison provençale sur la masse blanche du roc et le fond bleu du ciel.

Mais Giono n'est pas seulement habile à évoquer les couleurs des plateaux ou « la respiration bleue des vallées profondes ». Nul mieux que lui n'a parlé des sons et des odeurs de la nuit : celles-ci, aux champs, *coulent* toutes fraîches. « Ça sentait le sucre, la prairie, la résine, la montagne, l'eau, la sève, le sirop de bouleau, la confiture de myrtille, la gelée de framboise où l'on a laissé des feuilles, l'infusion de tilleul, la menuiserie neuve, la poix de cordonnier, le drap neuf. Il y avait des odeurs qui marchaient et elles étaient si fortes que les feuilles se pliaient sur leur passage. Et ainsi elles laissaient derrière elles de longs sillages d'ombres... » [2]

1. *Le Serpent d'Etoiles*, p. 167.
2. *Que ma Joie demeure*, p. 104

Il ne faut pas demander trop de psychologie à un peintre et à un poète. Ses hommes sont vivants. Leurs gestes, leurs propos, sont en général remplis de justesse. Mais parfois ils dépassent leur nature propre. Un confrère de Giono, Henri Pourrat, lui aussi remarquable romancier paysan, a fort justement noté que « comme les personnages de Hugo, il leur arrive de passer dans un air où ils deviennent plus grands que nature, et sur ces sommets ils mènent d'étranges dialogues sybillins. Ainsi de celui de Bobi avec un mystérieux fermier, sur les pouvoirs de l'homme, les machines, la joie, la poésie, l'avenir. Cela ne peut avoir lieu qu'à des milliers de mètres au-dessus du niveau moyen des campagnes ». [1]

Ce n'est pas un pur hasard si le nom de Victor Hugo a été prononcé à propos de Giono. Certes, Hugo, pair de France, politicien, pamphlétaire, député, prophète des Temps Nouveaux, vivait au milieu de son siècle, alors qu'il n'y a, chez Giono, aucune espèce d'arrière-pensée politique. Mais *Un de Baumugnes,* avec ses leçons de morale familière, nous fait songer parfois aux *Misérables*. Et en lisant *Batailles dans la Montagne,* on évoque les imaginations fulgurantes qui traversent les dernières œuvres de Victor Hugo. Comme celui-ci, Giono est un poète, personnificateur et amplificateur de la Nature, amateur de puissantes et belles métaphores ; comme lui, il est un mage et un prophète, avec tout ce que cela peut comporter parfois de déception mais aussi de vraie grandeur.

---

1. « La pensée magique de Jean Giono » (*Nouvelle Revue Française*, 1er octobre 1938, p. 647).

CHRONOLOGIE D'ANDRÉ CHAMSON
(né en 1900)

1924 *Attitudes* (Nîmes, Fabre)
1925 *Roux le Bandit* (Grasset)
1927 *L'Homme contre l'Histoire* (Grasset)
Les Hommes de la Route (Grasset)
Ecrits (Grasset) (avec Malraux, etc.)
1928 *Tabusse* (Ed. des Cahiers Libres)
1929 *Clio* (Hazan)
Le Crime des Justes (Grasset)
1930 *Tyrol* (Grasset)
Compagnons de Route (Hartmann)
La Révolution de Dix-neuf (Hartmann)
L'Aigoual (Emile-Paul)
Histoires de Tabusse (Horizons de France)
1932 *Héritages* (Grasset)
Histoire de Magali (Hartmann)
1933 *L'Auberge de l'Abîme* (Grasset)
1934 *L'Année des Vaincus* (Grasset)
1935 *Les Quatre Eléments* (Grasset)
1936 *Versailles* (Plon)
1937 *Retour d'Espagne, Rien qu'un Témoignage* (Grasset)
1939 *La Galère* (Gallimard)
1940 *Quatre Mois* (Flammarion)

ANDRÉ CHAMSON

> « *Notre civilisation réelle se présente comme une marge, comme une zone de liberté, entre la barbarie de fait de l'état social — ou de l'individu — et la représentation abstraite de la société — ou de l'homme — que nous nous faisons.* »
>
> (La Révolution de Dix-Neuf)

> « *Je le répète une fois de plus : il faut faire de ce pays une communauté fraternelle...* »
>
> (Quatre Mois)

L'œuvre de Chamson a été fortement influencée par ses années de formation. L'auteur du *Crime des Justes* est un homme de sa province, marqué par son terroir. D'autre part, placé par sa naissance dans la « génération de dix-neuf », il a vécu intensément les drames de la guerre, de la Révolution manquée et de l'entre-deux-guerres.

André Chamson est né en 1900 d'une famille cévenole. Il a passé sa première enfance dans ce pays à la fois méridional et rude, dans cette contrée de soleil et d'âpre montagne, d'une beauté farouche. Enfant, il a trouvé dans la montagne, « dans ce haut massif de l'Aigoual, ce que d'autres enfants demandent aux récits d'aventures, aux histoires guerrières : la présence d'un monde héroïque et fabuleux et cette première justification de la vie qui, pour les hommes ou pour les peuples, ne peut être faite que par la légende ». [1]

Chamson ne cessera jamais de se sentir un fils de sa province, un frère de ses compatriotes cévenols, « ces hommes mesurés et graves — si différents des paysans de la plaine voisine, souvent joyeux et toujours excessifs — (qui) ne savent pas exagérer ni même transformer une histoire. A l'inverse des autres méridionaux, ils ne savent pas modifier leur monde moral, leurs idées et leurs sentiments. Ils les considèrent toujours avec une austère exactitude, une précision froide d'homme économe et prévoyant. Quand ces

---

1. *Les Quatre Eléments*, p. 9.

montagnards jugent un homme au point de vue moral, ils ne portent jamais une sentence absolue : l'habitude qu'ils ont de penser à travers la Bible n'a même pas pu leur faire modifier cette tendance, et si, d'après l'Ecriture, ils parlent du méchant et de l'impie à tout propos, ce n'est jamais que pour porter une sentence théorique et non pas pour juger un homme qu'ils connaissent ». [1]

Chamson, d'autre part, appartient à la *génération de dix-neuf,* celle qui est née avec le siècle, qui avait quatorze ans à la Marne, qui préparait sa Rhétorique à l'époque de Verdun et, à l'armistice, venait de passer son baccalauréat de Philosophie. C'est au milieu de l'état de guerre qu'il prit conscience de lui-même et du monde, d'un monde « sans aînés... d'un monde de femmes et de vieillards... »

« Dans les lycées et collèges de province, seuls, séparés des hommes, rhétoriciens de seize et de dix-sept, philosophes de dix-sept et de dix-huit, nous sentions venir une époque de dénuement et de pauvreté qui ne pourrait plus être un regroupement des forces humaines, mais un anéantissement sans espoir.

« Aussi, puisqu'à cause de notre âge, on ne nous jetait pas dans l'action, puisqu'on ne nous demandait pas, comme à nos aînés, le sacrifice de nous-mêmes, il a fallu que notre esprit, qui n'avait pas l'alibi de la souffrance et du sacrifice, portât un jugement sur le monde.

« Et, dans notre liberté totale, dans notre liberté d'hommes sans aînés, nous l'avons condamné avec violence... » [2]

« Ce que nous attendions, c'était une purification du Monde, une nouvelle naissance : la possibilité de vivre enfin en dehors de la Guerre... » [3]

« Nous sentions venir un moment d'austérité et d'héroïsme, une ère de dépouillement et de pauvreté, mais, en elle, nous trouvions l'attente et la préparation d'une renaissance... » [4]

---

1. *Roux le Bandit,* pp. 44-45.
2. *La Révolution de Dix-Neuf* (Hartmann, 1930), pp. 38-39.
3. *Idem,* p. 44.
4. *Idem,* p. 45.

On était porté par les plus grands enthousiasmes, prêt aux plus grands sacrifices, certain de la Révolution nécessaire et imminente.

« Nous ralliâmes le mouvement socialiste — ce mouvement socialiste de Dix-neuf, divers et confus, où le pragmatisme communiste cohabitait avec un idéalisme traditionnel, où jouaient des forces syndicalistes que nous ne pouvions guère comprendre. Mais dans sa confusion même — dans sa confusion idéologique qui correspondait à la confusion de la manifestation Jaurès — ce mouvement était le seul qui répondait à nos désirs, au jugement que nous avions porté sur le monde. » [1]

Mais la Révolution fut manquée.

Chamson, comme quelques-uns des meilleurs esprits de sa génération, chercha la reconstruction par la civilisation naturelle et la redécouverte des valeurs traditionnelles, permanentes, liées aux nécessités de la vie.

« Alors, ce fut l'homme le plus exactement soumis aux antiques nécessités qui devint notre exemple. L'homme au labeur, l'homme au milieu de ses proches, à la maison et dans les communautés les plus étroites, l'homme indifférent aux conquêtes, soumis à son destin, et soucieux seulement de pousser sa propre liberté aux plus extrêmes limites, là même où elle touche, sans les heurter, les nécessités fondamentales de la vie. » [2]

Il retrouva la fraternité :

« A côté de l'homme dans la nature, du paysan, nous apprenions à comprendre les autres hommes et cette recherche faisait naître en nous le sens d'une fraternité humaine que nos révoltes juvéniles nous avaient fait borner à une unanimité de passion et de volonté. » [3]

Il se refit une philosophie d'homme et d'homme libre :

« Nous en venions à considérer la civilisation non plus comme un décor monumental, une architecture du monde, un déroulement de palais, de temples, d'orgueilleuses de-

1. *Idem*, p. 56.
2. *Idem*, pp. 82-83.
3. *Idem*, p. 84.

meures, mais comme une puissance intérieure qui ne dépend que de l'esprit et du cœur de l'homme... »[1]

« La seule voie héroïque est celle qui nous laisse libres tout en étant nécessaires... »[2]

* * *

Après avoir étudié à l'Ecole des Chartes — comme Martin du Gard — et avoir, comme l'auteur des *Thibaut,* renoncé à une carrière d'historien,[3] Chamson se tourne vers la littérature et publie en 1925 son premier roman, *Roux le Bandit.*

Pour l'auteur, ce récit de veillée fait par des paysans cévenols, est « le signe de la plus extrême liberté : l'homme simple qui se refuse aux événements, au passage de l'histoire qui va bouleverser sa vie et qui, contre toutes les forces sociales, reste ce qu'il aurait été sans ce passage de l'histoire ».

Roux était un bûcheron de Sauveplane, dans les Cévennes, « un garçon droit qui aimait entendre la parole de Dieu et qui, sans être de toutes les réunions de prières et de toutes les assemblées, connaissait sa Bible et respectait la morale ».

Arrive la mobilisation. Roux déclare : « Je voudrais bien que les hommes ne se tuent pas. » Au lieu de partir avec les autres, il devient déserteur et se cache dans la montagne.

La population locale croit d'abord qu'il a obéi à la peur. Mais on se rend compte bientôt qu'il n'a fait qu'écouter l'appel de sa conscience et que le parti qu'il a choisi n'exclut pas les souffrances. Les habitants du village en viennent à le respecter. Lorsque, à la fin de la guerre, il est pris par les gendarmes et condamné à vingt ans de prison, ceux-là mêmes qui ont perdu leur fils sur le champ de bataille ont pardonné au déserteur et ne peuvent se défendre d'une certaine admiration à son égard. Et l'un d'eux ajoute que ... « sa mère et son autre sœur sont restées toutes seules

---

1. *Idem*, p. 109.
2. *Idem*, p. 110.
3. Chamson ne cessera pourtant pas de s'intéresser aux choses historiques. Il deviendra plus tard conservateur-adjoint du Musée de Versailles.

à la montagne et c'est un grand malheur parce qu'elles ne peuvent pas suffire au travail de leurs terres et que, chaque année, la brousse y reprend un peu plus d'espace. »

Sans connaître le grand succès, *Roux le Bandit* rencontra auprès du public littéraire un accueil très favorable. D'aucuns aimèrent le livre pour son « goût de terroir fortement fruité ». D'autres, plus perspicaces, virent là le début d'une œuvre forte, émouvante, atteignant parfois à une véritable grandeur religieuse. La suite des écrits de Chamson devait confirmer ce verdict.

* * *

Les Hommes de la Route (1927) témoignent des mêmes dons que *Roux le Bandit,* mais aussi d'une ampleur, d'une généralité, d'une intensité accrues.

Le sujet, assez austère, peut se résumer en quelques lignes. Le gouvernement fait construire une route à Saint-André, dans un canton des Cévennes. Les paysans, embauchés pour y travailler, quittent leur champs sur la montagne. Ils prennent l'habitude d'avoir de l'argent, de le dépenser comme les citadins. Ils s'installent à la ville, ils y élèvent leurs enfants.

Le fils d'Audibert devient employé de chemin de fer et entraîne ses parents à Laroche. Celui de Combes est instituteur dans un village voisin. Les années passent. Combes, veuf, solitaire, habite toujours Saint-André, mais chaque semaine monte cultiver ses terres sur la montagne. Il rêve que son petit-fils revienne à la terre.

L'instituteur rentré au pays a épousé la fille d'une propriétaire, « une montagnarde silencieuse et prévenante. Les prairies de la dot descendaient avec l'eau des sources, sous des pommiers pareils à des roues de feuillage, devant les fenêtres de l'école ». Maintenant Combes peut mourir : ses champs ne seront pas abandonnés.

Le livre de Chamson n'est pas seulement un roman régionaliste cévenol. C'est aussi un beau roman paysan, qui étudie la psychologie d'une classe sociale, celle des tâcherons qui ne sont pas encore fondus dans les masses citadines l'âge matérialiste moderne. Il illustre les fameuses paroles de Péguy sur *L'Argent* :

et met en lumière le drame de la paysannerie française attirée au XIXe siècle vers les villes.

Chamson illustre admirablement dans ce roman — qui commence vers 1850 — les débuts de la transformation du monde moderne en France. Il montre, comme Péguy, le rôle corrupteur de l'*argent* et le glissement de l'âge paysan vers

« Le monde a moins changé depuis Jésus-Christ qu'il n'a changé depuis trente ans. Il y a eu l'âge antique (et biblique). Il y a eu l'âge moderne. Nous avons connu un temps où, quand une bonne femme disait un mot, c'était sa race même, son être, son peuple qui parlait, qui sortait. Et quand un ouvrier allumait sa cigarette, ce qu'il allait vous dire, ce n'était pas ce que le journaliste a dit dans le journal de ce matin. »

Combes est un des derniers représentants de cette humanité occidentale pour qui l'argent n'était pas tout. Mais sa femme Anna, avide de jouissances matérielles, a ouvert la brèche par où s'infiltrera la transformation de la paysannerie en prolétariat.

* * *

Le Crime des Justes (1928) étudie la vie morale d'un village et la puissance, le rayonnement d'une famille dans la tribu.

Le village a bâti sa morale autour d'une idée, d'un principe : les Arnal sont justes. Les Arnal sont les maîtres spirituels du pays : arbitres, conseillers, juges, ils dominent sans conteste le village. Or, le chef de famille commet un crime pour sauver l'honneur d'une des filles Arnal. Les gendarmes viennent l'arrêter. Mais le village ne peut accepter l'écroulement de sa tradition. Sur le chemin de la prison, une vieille femme demande encore conseil au vieil Arnal.

* * *

Les Histoires de Tabusse (1930) sont d'une sonorité assez différente de celle des romans précédents, mais le métal est le même. L'ouvrage participe à la fois du folklore et du roman. Tabusse, c'est le géant du village. Terrible et maladroit, enfantin et sage, il occupe, dans la mythologie locale, une place entre l'idiot et le tombeur de filles. Les contes savoureux dont Tabusse est le héros contiennent des morceaux brillants, de l'humour et de la poésie. Œuvre secondaire, mais pittoresque et qui ajoute à notre compréhension des sentiments et coutumes cévenols.

* * *

L'Année des Vaincus (1934) désigne l'année 1933 et cette série de déceptions politiques, financières, économiques, qui ont marqué ces douze mois dans presque tout l'univers. L'ouvrage de Chamson montre que les peuples qui aspirent à la fraternité ont beaucoup de mal à se comprendre.

Une usine du Midi fait appel à quelques ouvriers spécialisés allemands. Un garçon débrouillard, jeune encore, Carrière, a charge de les recevoir et de les mettre au courant. Bientôt des liens de camaraderie s'établissent entre Carrière, Karl et Ludwig. Carrière songe même à épouser Renata, la sœur d'un des Allemands venue avec le groupe.

Cependant, les Allemands sont envoyés à Stuttgart pour chercher des pièces de rechange. Carrière les accompagne. Or peu à peu, au cours de son voyage, il se trouve déconcerté, puis désagréablement impressionné. Il se hérisse. Il perd son insouciance, son entrain, sa bonne humeur. Les Allemands, eux aussi, se transforment, sont repris par le germanisme. L'internationaliste Ludwig, qui a résisté quelque peu, restera dans son pays, sous la surveillance de la *Gestapo*. Il est remplacé par un homme sûr. Karl subit, approuve même. Carrière est révolté, voit dans cette attitude un sacrifice de la liberté humaine.

De retour en France, Carrière et Karl, qui ont pris conscience de leurs façons différentes de sentir et de voir les choses, se séparent de plus en plus. Renata reste amoureuse du Français, mais refuse de l'épouser : le mariage implique un lien social, qui lui répugne. Carrière a presque peur de parler à ses camarades français de ce qu'il a vu. Un beau jour, pourtant, il éclate et dit ce qu'il a sur le cœur : il a vu une humanité différente, hostile, inconciliable. Un homme libre a jugé la mystique totalitaire.

* * *

Chamson avait, dès le début, pris parti pour la cause des républicains espagnols. En juillet 1937, il parcourt l'Espagne républicaine de Barcelone à Valence et de Valence à Madrid et il en rapporte un petit livre intitulé *Retour d'Espagne, Rien qu'un témoignage.*

Il a été frappé par le caractère nouveau, inhumain, de la guerre :

« Ceux qui sont ses instruments ne sont plus des soldats de métier défendant un Etat, comme ceux de Denain ou de Fontenoy. Ce ne sont plus des soldats citoyens défendant une patrie, comme ceux de Valmy ou de Verdun. Ce sont des machines entraînées par la fatalité d'une autre machine. Ce sont des aviateurs qui ne sont rien de plus qu'un appareil de décision à côté du moteur et des lance-bombes ; des artilleurs qui ne sont rien de plus qu'une table de tir intelligente à côté de leurs batteries ; des tankeurs qui ne sont rien de plus qu'un dispositif de direction et de tir à bord d'un char hérissé de canons et de mitrailleuses.

« Les vaincus n'ont pas à attendre de pitié de ces conquérants qui n'évoqueront ni le seuil de leur maison, ni les yeux de leur mère en entrant dans la maison soumise à leur loi. Ce ne sont plus des hommes dénaturés par l'horreur de la bataille, mais qui peuvent se réveiller à la tendresse et se souvenir de leur fils. Ce sont les employés de la mort, les fonctionnaires de la tuerie.

« Ce ne sont pas des fils d'une nation ou d'une race, mais les fils d'une technique abandonnée à elle-même et coupée de toutes les obligations humaines. Allemands et Italiens, ils ne savent plus ce que représentèrent l'Allemagne ou l'Italie dans le concert des peuples. L'Europe est morte en eux, mais morte en eux aussi la nation qui leur avait donné naissance. Ils sont en dehors de toute civilisation, de toute culture. Ils n'ont plus rien de commun avec ce qui fut leur propre nation. Ils n'ont plus de responsabilité à l'égard des communautés humaines dont le but est de perpétuer et d'ennoblir la vie. Ils ne connaissent plus que cette « rhétorique de la mort », qui, depuis des mois, enfle sa voix dans le ciel ensanglanté de l'Espagne. » [1]

---

1. *Rien qu'un Témoignage*, pp. 118-121.

La Galère (1939) est un roman politique. C'est le tableau des conséquences politiques et morales d'une journée révolutionnaire, celle du 6 février 1934. C'est la réfraction des événements sur une foule de personnages très divers — parlementaires, journalistes, policiers, fonctionnaires, ou simples spectateurs engagés dans la bagarre.

Deux hommes jeunes, liés par une ancienne camaraderie, ont été engagés par la vie dans des voies contraires. L'un est devenu un homme d'affaires parisien, riche et mondain. L'autre, provincial et pauvre, gagne sa vie humblement dans un métier « intellectuel ». Arrive la nuit tragique du 6 février. En dépit de leur affection mutuelle, les deux hommes sont rejetés dans des camps opposés, condamnés à être, tant que durera l'affaire, « des adversaires irréductibles. Il faut choisir ».

Chamson, évidemment, a choisi comme Rabaud, son héros provincial. Comme Chamson, d'ailleurs, Rabaud est un historien d'origine qui a renié une certaine conception de l'histoire, qui a refusé d'admettre l'importance des événements. Comme lui également, il estime que l'homme, si attaché qu'il soit à son bonheur privé, ne peut échapper à l'emprise des événements, puisque ceux-ci parfois conditionnent nos raisons de vivre. Rabaud se jette donc dans la mêlée pour rester fidèle à sa conscience et à sa morale :

« Je ne déserterai pas mon combat. Je donnerai de moi-même tout ce qu'il faudra donner. Mais je suis sûr de rester ce que je suis. »

Les dernières pages de *La Galère* éclairent le sens symbolique du titre. Cette galère sur laquelle nous sommes tous embarqués bon gré mal gré, et où il nous faut ramer, c'est celle de Péguy :

> « Et nous tiendrons le coup, rivés sur notre rame,
> Forçats, fils de forçats aux deux rives de Seine
> Galériens couchés aux pieds de Notre-Dame. »

* * *

L'œuvre de Chamson est essentiellement saine, sobre, solide. Elle est souvent austère. Certains chapitres des

Hommes de la Route, tristes et profonds, « sonnent, comme des glas, le néant des êtres et des choses ». L'art de Chamson est fait de dépouillement volontaire et évoque la nudité de la liturgie et des temples cévenols.

Cette œuvre est foncièrement sincère et morale. Dans *La Galère,* comme dans *Les Hommes de la Route,* dans *Roux le Bandit* comme dans *Le Crime des Justes,* on trouve une atmosphère morale, une force de conviction, un enthousiasme latent que le lecteur ne peut s'empêcher d'estimer.

Chamson est de la race des Michelet et des Péguy. Il est, comme Péguy, un homme honnête, parfaitement désintéressé. Il a emprunté à Péguy l'épigraphe de sa *Galère.* Il aurait pu lui emprunter une épigraphe pour *Les Hommes de la Route* et pour maint autre roman.

L'œuvre de Chamson est, d'autre part, une défense de l'individu.

Comme Gide, comme Rousseaux, comme Amiel, trois autres esprits largement formés par le protestantisme, Chamson est un individualiste. Mais il représente un autre esprit « protestant » aussi éloigné que possible de l'amoralisme et de l'anarchie, — conséquences toujours possibles du gidisme et du rousseauisme. L'individualisme de Chamson s'enracine dans l'obéissance. Il résoud le conflit entre l'individualisme et l'ordre au contact de la Terre. Ses paysans cherchent à sauver leur âme contre le monde moderne. Ils veulent rester des *hommes.*

OUVRAGES À CONSULTER

(Bibliographie sommaire)

OUVRAGES GÉNÉRAUX

— Fernand Baldensperger, *La Littérature française entre les Deux Guerres,* 1919-1939 (Los Angeles, Lyman House, 1941)

— André Billy, *La Littérature française contemporaine* (A. Colin, 1927)

— Emile Bouvier, *Initiation à la Littérature d'aujourd'hui* (La Renaissance du Livre, 1927)

— Robert Brasillach, *Portraits* (Plon, 1935)

— Louis Chaigne, *Notre Littérature d'aujourd'hui* (de Gigord, 1939)

— René Lalou, *Histoire de la Littérature française contemporaine* (Crès, 1922 ; nouvelle édition revue et augmentée, Tome II, Presses Universitaires de France, 1940)

— Régis Michaud, *Modern Thought and Literature in France* (New York and London, Funk and Wagnalls, 1934)

— Daniel Mornet, *Introduction à l'Etude des Ecrivains français d'aujourd'hui* (Boivin, 1939)

— Henri Peyre, *Hommes et Œuvres du XXe siècle* (Corrêa, 1938)

— André Rousseaux, *Littérature du XXe siècle* (2 vol., A. Michel, 1938, 1939)

— Christian Sénéchal, *Les grands Courants de la Littérature française contemporaine* (Malfère, 1934)

Sur Péguy : [1]

— M. Ashbourne, Charles Péguy (*Dublin Review,* 1913, vol. 153, pp. 353-364)

---

1. La première bibliographie sérieuse de Péguy a été établie par E. Mounier. Elle a paru dans les *Documents de la Vie intellectuelle* du 20 janvier 1931.

— Maurice Barrès, Charles Péguy (*Revue Critique des Idées et des Livres,* 1920, Tome 28, pp. 257-272 et 388-398)
— Albert Béguin, Charles Péguy (*Neue Schweizrerische Rundschau,* Zurich, mai 1941)
— Albert Béguin, *La Prière de Péguy* (Les Cahiers du Rhône, Ed. la Bacconière, Neuchatel, 1942)
— Bruno Blais, Charles Péguy (*Le Jour,* Montréal, 12 décembre 1942)
— Franz Blei, *Maenner und Masken* (Berlin, E. Rowohlt, 1930)
— V. Boudon, *Avec Charles Péguy, de la Lorraine à la Marne* (Hachette, 1916)
— G. Chatterton-Hill, The new spirit in French Literature : Charles Péguy (*Nineteenth Century,* London, 1913 ; vol. 73, pp. 1008-1025)
— E. R. Curtius, *Die literarischen Wegbereiter des neuen Frankreich* (Potsdam, 1919)
— H. Daniel-Rops, *Péguy* (Plon, 1935)
— Louis Des Brandes, Charles Péguy raconté par un témoin de sa vie (*Etudes,* Paris, 1919, Tome 158, pp. 513-534)
— Jean Dornis, Un héros mystique français, Charles Péguy (*Revue Mondiale,* Paris, 1920, vol. 37, pp. 205-222)
— G. Favre, Souvenirs sur Péguy (*Europe,* 15 fév. - 15 mars et 15 avril 1938)
— Ramon Fernandez, Charles Péguy (*Revue de Paris,* 1937, Tome II, pp. 124-151)
— André Gide, *Nouveaux Prétextes* (Mercure de France, 1911) (Ed. 1930, pp. 208-222)
— Gilmard, *La Vraie France* (Montréal, Fides), pp. 33-50.
— Julien Green (Introduction à) Charles Péguy, *Basic Verities* (New York, Pantheon Books, 1943), pp. 1-41.
— Philippe Guiberteau, Musique et Incarnation (*Cahiers de la Quinzaine,* 1933 ; 23e série, cahier 5, pp. 59-90)
— Daniel Halévy, *Charles Péguy et les Cahiers de la Quinzaine* (Payot, 1919 ; nouvelle édition revue et augmentée, Grasset, 1940)
— Harlor, Charles Péguy (*Revue de Paris,* 1915 ; 22e année, tome II, pp. 646-658)

— *Hommage à Charles Péguy* (Gallimard, 1929) (Articles par Marcel Abraham, Julien Benda, Jacques Copeau, etc.)

— René Johannet, Projets littéraires et propos familiers de Charles Péguy (*Le Correspondant,* 1919 ; tome 240, pp. 810-829, 1016-1034)

— Marianne Knell, *Charles Péguy* (Münster, 1934)

— Edouard Krakowski, Le Souvenir de Charles Péguy (*Revue des Deux Mondes,* 1er septembre 1939, pp. 210-220)

— Jean Lambert, Péguy ou le parti pris de la France (*Cahiers du Sud,* Marseille, février 1941 ; pp. 75-95)

— Pierre Lasserre, *Les Chapelles littéraires : Claudel, Jammes, Péguy* (Garnier, 1920)

— J. K. L'Estrange, Charles Péguy (*Blackfriars,* London, 1934, vol. 16, pp. 755-759)

— Vittorio Lugli, Il primo : Carlo Péguy (*Rivista d'Italia,* Milano, 1919 ; vol. XIV, pp. 482-488)

— A. Mabille de Poncheville, *Charles Péguy et sa mère* (Crès, 1918)

— Florence Mac Cunn, The poetry of Charles Péguy (*Cornhill Magazine,* London, 1921, vol. 50, pp. 574-593)

— Catriona Mac Leod, Charles Péguy (*Irish Monthly,* Dublin, 1937, vol. 67, pp. 529-541)

— Gilbert Maire, Trois poètes mystiques (*Revue,* 1914, pp. 145-166)

— Edith Margenburg, *Charles Péguy* (Berlin, E. Ebering, 1937)

— Raïssa Maritain, *Les Grandes Amitiés* (New York, Editions de la Maison Française, 1942, surtout pp. 84-91)

— Eugène Martin-Mamy, *Les nouveaux Païens* (Sansot, 1916)

— Henri Massis, *Evocations, I* (1931)

— Henri Massis, *Jugements, II* (Plon, 1929), pp. 237-264

— Henri Massis, *Le Sacrifice* : 1914-1916 (Plon, 1917)

— André Maurois, *Etudes Littéraires* (New York, Editions de la Maison Française, 1942), pp. 220-246

— J. P. Maxence, *Positions, II* (1932)

— J. P. Maxence et N. Gorodetzkaya, *Charles Péguy. Textes suivis de débats au Studio franco-russe* (Desclée de Brouwer, 1921)

— E. Mounier, M. Péguy et G. Izard, *La Pensée de Charles Péguy* (Plon, 1931)

— John M. Murry, Charles Péguy (*Quarterly Review*, New York, 1918 ; volume 229, pp. 91-109)

— Jan van Nijlen, *Charles Péguy* (Leiden, A. W. Sijthoff, 1919)

— Mrs. George Norman, The Problem of Péguy (*Thought*, New York, 1932 ; vol. 7, pp. 389-403)

— Marcel Péguy, *La Vocation de Charles Péguy* (Le Siècle, 1926)

— Marcel Péguy, *La Rupture de Charles Péguy et de Georges Sorel* (L'Artisan du Livre, 1930)

— Marcel Péguy, *Note conjointe sur Domrémy, Les Batailles et Rouen* (Desclée Brouwer, 1932)

— C. Lucas de Peslouan, Préface aux *Morceaux Choisis* de Péguy (Gallimard, 1928) pp. 7-31

— Karl Pfleger, Péguy der gute Sünder (*Hochland*, München, avril 1934, pp. 53-76)

— Victor Poucel, Charles Péguy et la thèse de l'espérance (*Etudes*, 1915 ; tome 143, pp. 5-40)

— Giuseppe Prezzolini, Per la memoria di Carlo Péguy (*Nuora Antologia*, Rome, 1914, pp. 43-48)

— A. Roche, *Les Idées traditionalistes en France de Rivarol à Maurras* (Urbana, 1937)

— Lucien Roure, Charles Péguy. In Memoriam (*Etudes*, 1941, Tome 140 ; pp. 504-515)

— Mary Ryan, Charles Péguy in his prose (*Dublin Review*, 1918, vol. 162, pp. 71-86)

— Daniel Sargent, *Four Independents* (London, 1935)

— Denis Saurat, *Perspectives* (Stock, 1939) pp. 157-160

— W. H. Scheifley, A Mystic Singer of Jeanne d'Arc (*Sewanee Review*, 1920, vol. XXVIII, pp. 31-36)

— Roger Secrétain, *Péguy, Soldat de la Liberté* (New York, Brentano's, et Montréal, Valiquette, 1941) (publié en France sous le titre : *Péguy, Soldat de la Vérité*)

— Paul Seippel, Charles Péguy (*Bibliothèque Universelle,* Lausanne, 1915 ; tome 78, pp. 209-235)
— Charles Sorel, Charles Péguy (*La Ronda,* Roma, 1919 ; anno 1, pp. 58-63)
— A. G. H. Spiers, A Frenchman of 1918 : Charles Péguy (*Columbia University Quarterly,* New York, 1919 ; vol. 21, pp. 132-146)
— Leo Spitzer, Zu Charles Péguy's Stil (*von Geiste neuer Literaturforschung,* Potsdam, 1924, pp. 162-184)
— J. R. van Stuwe, Péguy's dood (*Nieuwe gids,* s'Gravenhage, 1916 ; Jaarg. 31, pp. 740-750)
— André Suarès, *Péguy* (Emile Paul, 1915)
— Jérôme et Jean Tharaud, *Notre cher Péguy* (Plon, 2 vol., 1926)
— Jérôme et Jean Tharaud, Pour les fidèles de Péguy (*L'Artisan du Livre,* 1927)
— Evelyn Underhill, Charles Péguy : In Memoriam (*Contemporary Review,* New York, 1915, vol. 107, pp. 472-478)
— E. M. Walker, Charles Péguy (*Month,* London, 1915, vol. 126, pp. 41-52)

***Sur Maurras* :**

— Hermann Bahr, Ch. Maurras (*Hochland,* München, 1926-27, Jahrg 24, pp. 257-269)
— Maurice Barrès, *En Provence* (Ed. du Cadran, 1930)
— René Benjamin, *Charles Maurras, ce Fils de la Mer* (Plon, 1932)
— Paul Bourget, Le 25e anniversaire littéraire de Charles Maurras (*Revue critique des idées et des livres,* 1911, Tome XIII, pp. 257-261)
— Robert Brasillach, *Portraits* (Plon, 1935), pp. 29-52
— D. W. Brogan, The nationalist doctrine of M. Charles Maurras (*Politica,* London, 1935, no. 3, pp. 286-311)
— W. C. Buthman, *The rise of integral nationalism in France* (N.Y., Columbia University Press, 1939)
— A. Chamson, *L'Homme contre l'Histoire* (Grasset, 1927)
— M. Clavière, *Charles Maurras ou la Restauration des Valeurs humaines* (Lesfauries, 1939)

— Henri Clouard, Charles Maurras et la critique des lettres (*Revue Critique des idées et des livres,* 1911, Tome XIII, pp. 47-72, 133-157)
— Léon Daudet, *Charles Maurras et son Temps* (Flammarion, 1930)
— P. Descoqs, *A travers l'œuvre de M. Charles Maurras* (nouvelle édition, 1913)
— Pierre Dominique, Critique de Maurras (*Le Divan,* sept.-octobre 1925, pp. 486-492)
— Paul Dresse, Aspects de Charles Maurras, poète (*Revue Universelle,* 1936, Tome 66, pp. 257-278)
— Noël Francès, M. Charles Maurras, poète (*Revue politique et littéraire,* 1919, année 57, pp. 149-153)
— Waldemar Gurian, *Der integrale Nationalismus in Frankreich* (Frankfurt, V. Klostermann, 1931)
— Denis Gwynn, A prophet of reactions : Charles Maurras (*Studies,* Dublin, 1922, v. 11, pp. 523-540)
— Hommage à Ch. Maurras pour son jubilé littéraire (*Revue universelle,* 1937, Tome 68, pp. 1-192)
— Pierre Lasserre, *Charles Maurras et la Renaissance classique* (Mercure de France, 1902)
— Frédéric Lefèvre, *Une heure avec* (2e série) (Nouvelle Revue Française, 1924, pp. 9-30)
— Jules Lemaître, Le 25e anniversaire de Charles Maurras (*Revue critique des Idées et des Livres,* 1911, Tome XIII, pp. 257-258)
— André Maurel, Les écrivains de la guerre : M. Charles Maurras (*Revue des Nations latines,* 1916, pp. 332-352)
— Alphonse Métérié, Maurras (*Le Divan,* 1922 ; année XIV, pp. 409-423)
— Pierre Moreau, *Le victorieux XXe siècle* (Plon, 1925)
— Hoffman Nickerson, Maurras (*American Review,* Camden, 1934, v. 4, pp. 155-172)
— René de Planhol, Points de vue divers sur Charles Maurras (*Revue critique des Idées et des Livres,* 25 mai 1920, pp. 522-534)
— Ernest Renauld, *L'Action Française contre l'Eglise catholique et contre la Monarchie* (Tolra, 1936)

— Alphonse Roche, *Les idées traditionalistes en France de Rivarol à Charles Maurras* (Illinois University Studies in Language and Literature, vol. XXI, Urbana, 1937)
— André Rousseaux, *Littérature du XXe siècle, II* (Albin Michel, 1939), pp. 213-271 (Charles Maurras ou l'exilé de l'éternel)
— Marie de Roux, Charles Maurras et le nationalisme de l'Action Française (Grasset, 1927)
— Achille Segard, *Charles Maurras et les Idées royalistes*
— Albert Thibaudet, *Les Idées de Charles Maurras* (Gallimard, 1920)
— Gonzague Truc, *Charles Maurras et son temps* (Bossard, 1918)

***Sur Alain* :**

— Anonyme, *Alain professeur* (Hartmann, 1932)
— Frédéric Lefèvre, *Une Heure avec* (2e série) (Nouvelle Revue Française, 1924) pp. 127-142
— Frédéric Lefèvre, *Une Heure avec* (5e série) (Nouvelle Revue Française, 1929) pp. 204-216
— André Maurois, *Mémoires* (New York, Editions de la Maison Française) Tome I, pp. 73-94
— Jean Prévost, Dix-huitième année (*Nouvelle Revue Française,* octobre 1928 - janvier 1929) *passim*
— André Rousseaux, *Littérature du XXe siècle, I* (Albin Michel, 1938) pp. 56-64
— Denis Saurat, Alain (*Nouvelle Revue Française,* 1er novembre 1932, pp. 760-766)

***Sur Benda* :**

— Constant Bourquin, *Julien Benda ou le Point de Vue de Sirius* (Editions du Siècle, 1925)
— Constant Bourquin, *Itinéraire de Sirius à Jérusalem ou la Trahison de Julien Benda* (Nouvelle Revue Critique, 1931)

— Louis Dumont-Wilden, *Julien Benda ou l'Idéologue passionné* (Le Flambeau, Bruxelles, 1921)
— Guiberteau, Note sur M. Benda et sur la Trahison des Clercs (*Cahiers de la Quinzaine,* 1930, série 20, no. 2)
— John Kaestlin, The Splendid isolation of Julien Benda (*Colosseum,* London, 1937, v. 3, pp. 255-271)
— Pierre Lasserre, *Portraits et Discussions* (Garnier, 1921)
— Frédéric Lefèvre, *Entretiens avec Julien Benda* (Le Livre, 1925)
— Raymond Lenoir, Julien Benda et la société française (*La Vie des Lettres,* décembre 1922, pp. 22-30)
— Jean Malaquais, Julien Benda et la justice abstraite (*Cahiers du Sud,* Marseille, mai 1939, pp. 379-392)
— Maurice Martin du Gard, *Harmonies Critiques* (Sagittaire, 1936) pp. 70-77
— Henri Massis, *Jugements, II* (Plon, 1925), pp. 207-236
— Picon-Salas, Un estudio de Julien Benda (*Atenea,* Santiago de Chile, le 31 décembre 1927, pp. 418-422)
— Herbert Read, Julien Benda, A Critic of Democracy (*Realist,* London, 1929, v. 1, May, pp. 18-27)
— Herbert Read, *Julien Benda and the new Humanism* (Seattle, University of Washington Bookstore, 1930)
— André Rousseaux, *Littérature du XXe siècle, I* (Albin Michel, 1938), pp. 95-102 (Julien Benda ou l'homme sans cœur)
— J. P. Sold, *Les Idées de M. Julien Benda* (Luxembourg, 1930)
— André Thérive, *Galerie de ce Temps* (Nouvelle Revue Critique, 1931), pp. 35-49
— Gonzague Truc, M. Benda et le bergsonisme (*Revue critique des idées et des livres,* Paris, 1914, Tome XXIV, pp. 32-41)

***Sur Larbaud* :**

— Marcel Arland, « Aux couleurs de Rome » (*Nouvelle Revue Française* du 1er juillet 1938, pp. 126-129)
— Francisco Contreras, *Valéry Larbaud* (Nouvelle Revue Critique, 1930)

— Frédéric Lefèvre, *Une Heure avec (2e série)* (Nouvelle Revue Française, 1924) pp. 203-226
— Justin O'Brien, Valéry Larbaud (dans *The Symposium*, july 1932, pp. 315-334)
— Jean de Pierrefeu, *Les Beaux Livres de notre Temps* (Plon, 1938) pp. 56-66
— André Rousseaux, *Littérature du XXe siècle, II* (Albin Michel, 1939), pp. 96-105 (Valéry Larbaud et la possession du monde)
— Milton Stansbury, *French Novelists of Today* (University of Pennsylvania Press, 1935) pp. 69-82
— Marcel Thiébaut, *Evasions littéraires* (Gallimard, 1935), pp. 50-103

Sur Morand :

— Robert Brasillach, *Portraits* (Plon, 1935) pp. 197-210 (Paul Morand ou ce qui se porte)
— Benjamin Crémieux, *Vingtième Siècle, I* (Nouvelle Revue Française, 1924) pp. 211-220
— Pierre Dominique, *Quatre Hommes entre vingt* (Le Divan, 1924)
— Lucien Dubech, *Les Chefs de file de la jeune Génération* (Plon, 1925), pp. 199-208
— Frédéric Lefèvre, *Une Heure avec (2e série)* (Nouvelle Revue Française, 1924) pp. 31-42
— Georges Lemaître, *Four French Novelists* (Oxford University Press, 1938)
— Pierre Lièvre, *Esquisses critiques* (Divan, 1929)
— Jean de Pierrefeu, *Les Beaux Livres de notre Temps* (Plon, 1938) pp. 216-233
— André Rousseaux, *Ames et Visages du XXe siècle* (Grasset, 1932), pp. 242-259 (Paul Morand ou le chroniqueur planétaire)
— William Speth, Maîtres et disciples : Paul Morand (dans *Vie des Lettres*, 1924, pp. 30-38)
— Milton Stansbury, *French Novelists of Today* (University of Pennsylvania Press, 1935), pp. 83-99

— Gonzague Truc, *Quelques peintres de l'homme contemporain* (Spes, 1926)

Sur Maurois :

— Auriant, Un écrivain original. M. André Maurois (*Mercure de France,* 1er mars 1928, pp. 298-323 ; 1er avril 1928, pp. 452-472)
— Fernand Baldensperger, « Les Mémoires d'André Maurois » (compte-rendu dans *French Review,* New York, mars 1943)
— L. Beirnaert, André Maurois et le problème de la vie (*Etudes,* 20 janvier et 5 février 1934)
— D. C. Cabeen, André Maurois (*Sewanee Review,* 1928, v. 36, pp. 426-434)
— Charles Du Bos, *Approximations, II* (Corrêa, 1927) pp. 175-188
— Amélie Fillon, *André Maurois romancier* (Malfère, 1937)
— Edmond Jaloux, *Perspectives et Personnages* (Plon, 1931) pp. 233-240 (« Climats »)
— Raymond Jouve, André Maurois interprète de la nation anglaise (*Etudes,* 20 juin 1935, pp. 816-833)
— Jacques de Lacretelle, *L'Heure qui change* (Genève, Editions du Milieu du Monde, 1941) pp. 42-46
— David Glass Larg, *André Maurois* (London, Harold Sheylor, 1931)
— Frédéric Lefèvre, *Une Heure avec* (*4e série*) (Flammarion, 1927) pp. 179-208
— Frédéric Lefèvre, *Une Heure avec* (*6e série*) (Flammarion, 1933) pp. 266-279
— Georges Lemaître, *André Maurois* (Stanford University Press, 1939)
— Edouard Maynial, Préface aux *Textes Choisis d'André Maurois* (Grasset, 1936), pp. 1-25
— Emile Rideau, Une philosophie triste. A travers l'œuvre d'André Maurois (*Etudes,* 20 janvier 1938, pp. 185-205)
— Maurice Roya, *André Maurois* (Le Caravelle, 1934)

— André Rousseaux, *Littérature du XXe siècle, I* (Albin Michel, 1938), pp. 257-264
— Justin Sauvenier, *André Maurois* (Editions de Belgique, Bruxelles, 1933)
— Jean Vignaud, *L'Esprit Contemporain* (Sagittaire, 1938) pp. 139-144
— Edgar E. Wagener, André Maurois (*Les Cahiers Luxembourgeois,* 1937, no. 7, pp. 789-798, no. 8, pp. 843-855; 1938, no. 6, pp. 693-703; no. 7, pp. 731-745)

***Sur Bernanos* :**

— Frédéric Lefèvre, *Une Heure avec* (*4e série*) (Flammarion, 1927) pp. 157-178
— André Rousseaux, *Ames et Visages du XXe siècle* (Grasset, 1932) pp. 298-312
— André Rousseaux, *Littérature du XXe siècle, I* (Albin Michel, 1938), pp. 168-185 (La voix de Bernanos et le silence de Mouchette)
— André Thérive, *Galerie de ce Temps* (Nouvelle Revue Critique, 1931) pp. 117-128
— Robert Vallery-Radot, « Sous le soleil de Satan » (dans *La Revue Hebdomadaire,* mars 1926, pp. 211-223)

***Sur Giono* :**

— Jean Josipovici, *Lettre à Jean Giono* (Grasset, 1939)
— Henri Pourrat, La pensée magique de Jean Giono (dans la *Nouvelle Revue Française,* du 1er octobre 1938, pp. 646-658)
— André Rousseaux, *Ames et Visages du XXe siècle* (Grasset, 1932) pp. 184-196
— André Rousseaux, *Littérature du XXe siècle, I* (Albin Michel, 1938), pp. 195-203 (Jean Giono, visionnaire de la terre)
— François Varillon, « Jean Giono : de Paris au Contadour » (*Etudes*, 5 février 1937, pp. 337-351)
— François Varillon, « Jean Giono : Les Vraies Richesses ? » (*Etudes,* 20 février 1937, pp. 469-483)

Sur Chamson :

— P. Bost, Les écrivains et la politique : entretien avec André Chamson (*Les Annales politiques et littéraires,* le 15 mai 1932)
— A. Chaumeix, « L'Année des vaincus » (*Revue des Deux Mondes,* le 15 février 1935) pp. 935-940
— P. Chazel, *Deux bandits* : *Roux, par André Chamson ; Raboliot, Genevoix* (*Foi et Vie,* 1926, pp. 254-262)
— P. Chazel, « Les Hommes de la route » (*Foi et Vie,* 1928) pp. 203-221
— B. Crémieux, « Les Hommes de la route » (*Annales politiques et littéraires,* le 1er décembre 1927)
— Frédéric Lefèvre, *Une Heure avec* (*6e série*) (Flammarion, 1933) pp. 129-140
— G. Marcel, « L'Année des vaincus » (*Europe Nouvelle,* le 19 janvier 1935) pp. 68-70
— André Rousseaux, *Ames et Visages du XXe siècle* (Grasset, 1932) pp. 197-213
— André Rousseaux, André Chamson (*Revue Universelle,* 1928) pp. 748-751
— F. Roz, « Le Crime des justes » (*Revue politique et littéraire,* le 16 mars 1929)
— F. Roz, *Force et Faiblesse du Prestige moral : André Chamson* (*Revue Bleue,* 1929, pp. 179-182)
— J. Thomas, « La Galère » (*Annales politiques et littéraires,* le 25 mai 1939, pp. 537-539)
— F. Vialar, André Chamson nous parle de « L'Auberge de l'abîme » (*Annales politiques et littéraires,* le 17 février 1933)

TABLE DES MATIÈRES